Español Lengua Extranjera

Curso de conversación

Tema a tema

Vanessa Coto Bautista
Anna Turza Ferré

B2

ÍNDICE

Tema 1

EL ALMA DE UN PUEBLO

Las fiestas populares son la representación más auténtica del sentimiento colectivo de un pueblo. En ellas se percibe su forma de sentir, de vivir, de festejar lo bueno y olvidarse de las penas. Pero también es el resultado del devenir de la historia anónima de su esencia. Acercarse a sus fiestas es acercarse a su corazón.

- **Infórmate:** Las fiestas populares
- **Reflexiona y practica:** Las oraciones causales
- **Así se habla:** Expresiones coloquiales con nacionalidades
- **Tertulia:** La fiesta de los toros
- **Taller de lectura:** Día de Difuntos
- **Taller de escritura:** El cuestionario

Estos son los elementos que suele haber en muchas fiestas españolas. Describe las imágenes. Luego, identifica el nombre de cada una. ¿Hay los mismos elementos en las fiestas de tu país?

Charanga
Comida popular
Comparsa
Danzas regionales
Encierro
Fuegos artificiales
Gigantes y cabezudos
Romería
Verbena popular

EL ALMA DE UN PUEBLO

Infórmate

A 7 DE JULIO, SAN FERMÍN

Contesta a estas preguntas.

1. ¿Qué sabes de esta fiesta?
2. Los encierros y las corridas son dos de los principales momentos de esta celebración. ¿Podrías decir qué son?
3. ¿Conoces alguna fiesta más en la que participen animales?
4. Si quieres conocer más, puedes ir a http://www.sanfermin.com/

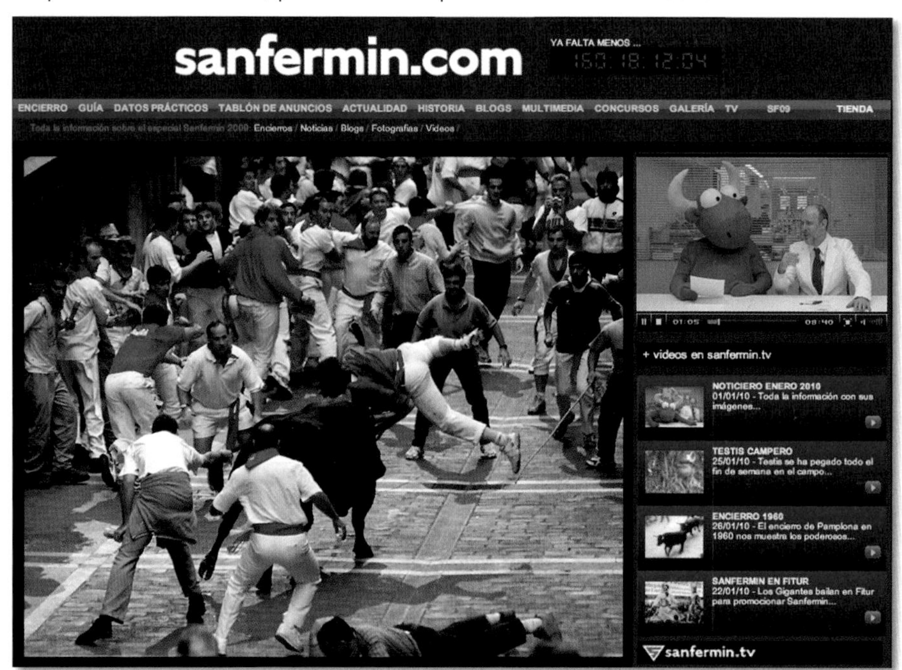

B CONSEJOS SI VAS A SAN FERMÍN

Escucha los consejos que se dan para participar en esta fiesta y marca si las afirmaciones son verdaderas o falsas.

Las víctimas de accidentes graves son frecuentemente extranjeros.	V	F
Una vez que estás dentro, ya no puedes salir del recorrido hasta el final.	V	F
No todos los tramos del recorrido son iguales.	V	F
Últimamente en los encierros hay pocos corredores.	V	F
Aquí tienen ventaja los que corren más rápido.	V	F
En la carrera es importante darse cuenta de lo que ocurre a tu alrededor.	V	F
En una caída hay que levantarse lo más rápido posible para que no te pille el toro.	V	F
Los espectadores pueden subirse a la segunda línea de vallas para ver el recorrido.	V	F

Contesta a las preguntas.

1. ¿Cuál es el principal consejo que se da a la hora de correr en un encierro?
2. ¿Por qué la entrada a la plaza es especialmente peligrosa?
3. ¿Qué cosas están prohibidas durante la carrera?
4. ¿Cómo hay que actuar en caso de caída? ¿Por qué?
5. ¿Qué otros accidentes son comunes, aparte de los producidos por los toros?
6. ¿Para qué está reservado el espacio entre las dos filas de vallas paralelas que marcan el recorrido?

C OTRAS CELEBRACIONES ESPAÑOLAS

Lee los textos y relaciona las fotos con las fiestas.

Els Castells (1)

Son castillos humanos que alcanzan una gran altura. Son tradicionales de Cataluña, y suelen verse en las fiestas mayores y en otras celebraciones.

En el piso más bajo se colocan las personas más fuertes y al piso más alto suben los más ligeros. El último en subir es un niño. («l'anxaneta»).

El castillo se considera hecho cuando este llega a la cima y levanta la mano.

La Tomatina de Buñol (2)

En este pueblo de Valencia hay una «guerra» de tomates a la que cada vez acude más gente. ¿Será porque es bueno para la piel, o porque querrán divertirse haciendo el indio?

Esta fiesta se celebra a finales de agosto y, en ella, miles de personas se lanzan tomates rememorando una antigua disputa entre vecinos.

Las Fallas de Valencia (3)

Se elaboran grandes imágenes que representan los acontecimientos o personajes destacados del año: las fallas, con sus ninots.

El día de San José las queman, salvo las favoritas del público, que se exponen en un museo. Los petardos, el humo y la fiesta están garantizados durante estos días.

La Semana Santa (4)

Suelen ser impactantes las procesiones: la gente saca las imágenes de Cristo y de la Virgen por la calle, caminando al son de los tambores. Destacan en ellas los nazarenos, personas con capa, túnica y capirote en la cabeza. Las andaluzas son las más famosas. Cuando te inviten a ir a verlas, no te hagas el sueco, y anímate a ir, que son divertidas...

Infórmate

Da tu opinión

¿Te gustan las fiestas populares? ¿En cuáles has estado? ¿Cuál ha sido la más impresionante de todas las que has visto? ¿Por qué?

¿Qué fiestas populares hay en tu país? ¿Hay algunas tradiciones especiales? ¿Cuál es la fiesta de tu país que te parece más original? ¿Por qué?

¿Qué diferencias hay entre las fiestas españolas y la manera de celebrar la misma fiesta en tu país?

EL ALMA DE UN PUEBLO

Reflexiona y practica

1 Las oraciones causales

En la argumentación es muy importante explicar los motivos con claridad. Observa las diferentes expresiones para indicar causa.

Porque + indicativo → en frases afirmativas

- Se utiliza cuando la explicación de la causa se presenta como una información nueva para el oyente. La oración encabezada por *porque* se coloca habitualmente en medio de la oración.

  Me voy porque he quedado con Louise.

Como + indicativo

- Expresa una causa conocida o no por el oyente. Va al principio de la oración.

  Como se me ha estropeado el coche, tendremos que tomar el autobús.
- También puede estar en una oración independiente, que expresa la causa de lo dicho anteriormente (en este caso es más coloquial).

  ¡Mira a Pilar, qué estirada va! Claro, como ahora tiene tanto dinero...

Ya que + indicativo

- Se usa cuando el hablante y el oyente conocen la causa de la que se habla. Lo podemos colocar al principio o en medio de la frase, pero no aparece nunca como una oración independiente.

  Ya que has llegado tan tarde, tendremos que quedarnos una hora más. / Tendremos que quedarnos una hora más, ya que has llegado tan tarde.
- También se utiliza para añadir un nuevo comentario en torno al mismo tema del que se está hablando.

  Ya que estás hablando del tema, te diré que yo con las uvas de Nochevieja siempre me atraganto.

Por + infinitivo / sustantivo / adjetivo

- Se usa en registros más coloquiales que el anterior.

  Tienes hambre por no haber querido comprar comida antes. / Tienes hambre por tacañería. / Eso te pasa por honrado.

interactúa

Poniéndose de acuerdo

En grupos, escribid un diálogo para poneros de acuerdo en cómo ir a una fiesta utilizando estos nexos.

2 Una conversación de amigos internacionales en los Sanfermines

Rellena los espacios con uno de los nexos estudiados. Fíjate que se trata de un español coloquial.

JÜRGEN: Luis no viene, Carlos llega tarde. ¡Ahí llega, míralo! ¡Diez minutos tarde! ¡Claro! ¡................. es español!

PEDRO: Bueno, bueno... ¡No protestes, que no es para tanto! ¡Los alemanes os pasáis de puntuales, ... estáis todo el tiempo mirando el reloj...!

JÜRGEN: ¡Qué dices! ¡Nosotros lo miramos aquí .... vuestra falta de puntualidad!

PEDRO: ¡Venga, no te enfades! ¡Que es todo relativo, hombre! ¡Fíjate que nosotros tenemos ese mismo tópico de otros países, como de Jamaica! Además, no os preocupéis, que nos están guardando el sitio...

MEGAN: De todos modos, que conste que Carlos suele ser puntual... ¡Algo le habrá pasado...!

PEDRO: A mí lo que me dicen mis alumnos es que, ... hablo tan alto, les voy a dejar sordos. Dicen que todos los españoles hablamos así y no sé... Yo no me doy cuenta...

CARLOS: Hola, ¿qué tal? Perdón .... mi impuntualidad. Ha sido .... venir en bus, si hubiera venido caminando...

JÜRGEN: Nada, nada... (riendo) ¡Se te consiente .... eres español, que si no...!

KIRSTEN: Y .... estamos hablando de esto, también dicen que los alemanes somos un poco cuadriculados, ¿no?

CARLOS: Y que los españoles dormimos siempre la siesta, y lo hacen solo los niños y la gente mayor...

PEDRO: ¡Eso será en el norte, chaval...! En Toledo, y a 40 grados en verano... ¡Como para no dormirla!

KIRSTEN: Bueno, venga, basta de charlas y en marcha, que vamos a perdernos el encierro.

PEDRO: Oye, y .... Luis no viene y tenemos sitio, ¿por qué no llamamos a Belén, a ver si se apunta y viene?

Reflexiona y practica

3 Estar mal informado a veces causa malas pasadas

Mikel le escribe a una amiga sevillana sus planes para ir a la próxima Feria de abril. Lee lo que dice, y luego completa lo que le responde utilizando conectores causales.

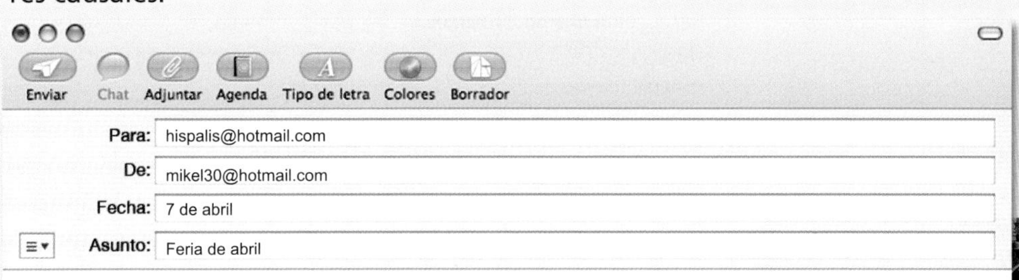

¡Hola!

Estoy muy nervioso **por** ir a la Feria. Ya he pensado en un montón de cosas.

El lunes iré a almorzar el famoso «pescaíto» frito, **ya que**, como sabes, me encanta comer y, luego, después de dormir la siesta, sobre las 4 de la tarde, me iré a ver cómo iluminan las calles del recinto y la puerta, que tiene que ser chulo… Y bueno, **como** iremos de caseta en caseta, para ver el ambiente de cada una, iré vestido de torero, como todos, ¿no? ¡Con el traje de luces! ¡Y luego bailaré soleares y sevillanas, y a lo mejor hasta ligo, **ya que** soy un tipo interesante! ¡Nos lo vamos a pasar genial, aunque al final seguro que nos pasaremos una mañana durmiendo **por el cansancio**!

Llego el próximo lunes, ¿vendrás a recogerme? Dime algo.

Mikel

Carroza

«Alumbrao»

Traje de cordobés y sevillana

Enviar Chat Adjuntar Agenda Tipo de letra Colores Borrador

Para: mikel30@hotmail.com
De: hispalis@hotmail.com
Fecha: 7 de abril
Asunto: Feria de abril

¡Hola, Mikel!

¡Pues… me parece a mí que con ese plan no vas a dar pie con bola, chico! En primer lugar, no puedes ir el lunes, ... la Feria siempre empieza un martes. Y lo del pescado es por la noche, no a mediodía. Y .... piensas ir vestido de torero, vas a hacer un ridículo espantoso, ... no tiene nada que ver ese traje con el de la Feria… ¡Y ya te digo! .... quieres ir a ver el «alumbrao» del recinto a las 4, te vas a aburrir un montón… ¡No se hace hasta las 24 h…! ¡Y no te creas que te va a resultar tan fácil ir de caseta en caseta! La mayoría son privadas y .... esto no te dejan entrar… Pero .... vamos a ir de todos modos, yo te recomiendo que mires alguna página web para tener más información, ... te veo un poco perdido, ¿eh?

Te voy a buscar. Dime a qué hora llegas. Besos

Casetas

interactúa

Una fiesta impresionante

Y tú, ¿has asistido recientemente a alguna fiesta? Escribe un correo electrónico a un amigo contándole lo que sabías de la fiesta antes de ir, qué se suele hacer en este tipo de fiesta y qué te sucedió mientras estuviste allí. No te olvides de usar los marcadores de causa que has visto anteriormente.

EL ALMA DE UN PUEBLO

Así se habla

Hacerse el sueco o hacer el indio.

1 Elige la opción correcta de estas expresiones.

HACERSE EL SUECO	HACER EL INDIO
a) Teñirse el pelo de rubio. b) Hacer como que no entiendes algo. c) Ponerse muy rojo.	a) Ponerse un disfraz con plumas. b) Hacer tonterías. c) Hablar incorrectamente una lengua.

2 Pon algún ejemplo donde las usarías.

Hay otras expresiones referidas a idiomas. ¿Sabes qué significan?

3 Relaciona las expresiones con su significado.

1. Saber latín.
2. Despedirse a la francesa.
3. Ser un trabajo de chinos.
4. (Algo) suena a chino.
5. Ser cabeza de turco.
6. No hay moros en la costa.

a. No hay peligro.
b. Ser muy listo, tener picardía.
c. Ser difícil de entender o no tener ni idea de algo.
d. Que requiere mucha paciencia y concentración.
e. Irse sin decir adiós.
f. Persona a la que se le echan las culpas para quitárselas a otro.

4 ¿Cuándo podrías decir alguna de las expresiones de las dos actividades anteriores? Lee estas conversaciones y relaciónalas con alguna.

- *Este trabajo es muy laborioso. Llevo dos días intentando acabarlo y ya me estoy volviendo loca.*
- *¡Míralo! No para de hacer tonterías delante de esas chicas. Creo que está haciendo el tonto. ¡Debería darse cuenta de que ya tiene 45 años!*
- *Es que a mí el alemán me parece dificilísimo. No entiendo ni una palabra.*
- *Dicen que los verdaderos asesinos de Kennedy buscaron a Oswald como culpable.*
- *Mira que le he dicho veces que no pise el suelo cuando he fregado, pero él siempre hace como que no se ha enterado.*
- *¡Bien! ¡No hay nadie en la oficina! Cuéntame lo que te dijo ayer Mari Puri sobre los próximos ascensos...*
- *¡Pues fíjate! Tantos años juntos y ahora se marcha a Canadá sin despedirse...*
- *Pues, aunque no lo parezca, no es nada inocente. Sabe más de la vida que tú y yo juntos. Así que cuidado con lo que le dices.*

¡Hablando de fiestas!

5 Piensa lo que significan las palabras o expresiones en negrita.

En una fiesta siempre hay gente que quiere **hacer el payaso, o el indio**. Otros son **unos cortados** y se lo piensan dos veces antes de acercarse a alguien y los hay también que son muy **lanzados** y no **se cortan** ante nada. Por último, están los **aguafiestas**, que siempre tienen la excusa a mano para no participar... Pero, al final, lo que importa es **pasárselo bomba** con los amigos...

Da tu opinión

¿Existen expresiones parecidas en tu lengua?

EL ALMA DE UN PUEBLO

En los Sanfermines, el toro está presente en toda la fiesta, como en muchas otras fiestas y localidades españolas. Aunque forma parte de las tradiciones populares, no todos los españoles están de acuerdo con ella.

Exprésate

1. Lee e infórmate de los puntos de vista de las dos partes.

A FAVOR DE LOS TOROS

- ✔ Es una tradición antiquísima que se remonta a los griegos y romanos.
- ✔ Los toros son una raza especial (toros de lidia) que nacen para luchar, sin las corridas tal vez hubieran desaparecido.
- ✔ Tienen una vida privilegiada y unos cuidados especiales hasta que van a las corridas* o encierros*.
- ✔ El mundo del toreo es un arte en el que el torero se juega la vida.

EN CONTRA DE LOS TOROS

- ✔ Es una tradición obsoleta.
- ✔ El mundo del toro se ha convertido en un negocio en el que algunos ganan mucho dinero.
- ✔ Las personas no tenemos derecho a divertirnos con el sufrimiento de los animales.
- ✔ El toro no tiene las mismas posibilidades que un torero. Durante la corrida se les pica y se les clavan banderillas para que pierdan fuerza. Se ha comentado que incluso, algunas veces, los animales salen estando enfermos.

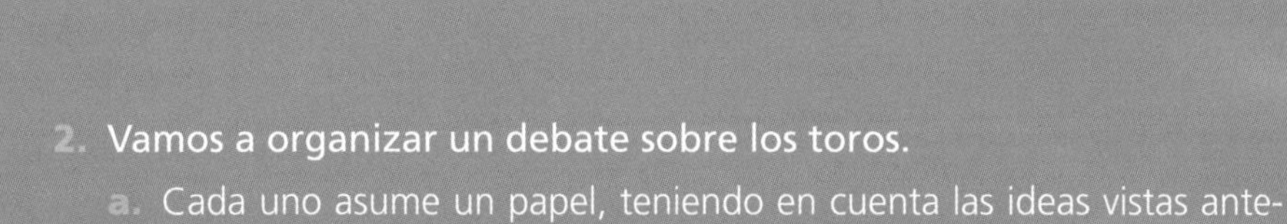

* **corrida:** Fiesta que consiste en lidiar seis toros en una plaza cerrada.

* **encierro:** Fiesta popular en la que se corre delante o al lado de los toros para llevarlos a encerrar al toril, que está en la plaza de toros.

2. Vamos a organizar un debate sobre los toros.
   a. Cada uno asume un papel, teniendo en cuenta las ideas vistas anteriormente.
   b. Prepara antes tu intervención, pensando no solo en lo que vas a tener que decir, sino también en lo que pueden decir tus compañeros.

Pro-toros

- ▶ Un antropólogo a favor de seguir las tradiciones
- ▶ Un folclorista y estudioso de las tradiciones
- ▶ Un ganadero que tiene una ganadería de 100 reses
- ▶ Un torero
- ▶ Un corredor de encierros
- ▶ Un espectador aficionado a los toros

En contra

- ▶ Un antropólogo que ha estudiado las evoluciones de las tradiciones
- ▶ Un veterinario
- ▶ Un estudioso del comportamiento animal
- ▶ Un activista de PETA (personas por la ética en el trato de animales)
- ▶ Un turista que fue a una plaza de toros y no le gustó el espectáculo
- ▶ Una persona a la que no le gustan los toros

   c. ¿Conoces alguna otra fiesta o costumbre en la que haya animales y que sea controvertida? ¿Estás a favor o en contra de este tipo de tradiciones? Debate ahora con tus compañeros, teniendo en cuenta tu verdadera opinión.

PREPÁRATE PARA ESTE TEMA

Para trabajar con este tema, revisa el léxico, comprueba las palabras que conoces, aprende las nuevas y realiza las actividades.

Tipos de fiestas populares

local
nacional
oficial
regional
religiosa

Tipos de fiestas personales

el aniversario
la boda
la comida de Navidad
el cumpleaños
la despedida de soltero/a
de disfraces
escolar

1 Indica con qué tipo de fiestas relacionas estas.

a. El día de la independencia ....
b. Los 25 años de casados ....
c. Carnaval ....
d. Semana Santa ....
e. El patrono ....

Los componentes de una fiesta popular

los bailes folclóricos
la banda de música
el chupinazo
la charanga
la comida popular
la comparsa
las competiciones deportivas
la danza regional
el desfile
el discurso
el encierro
el espectáculo en la calle
los fuegos artificiales
los gigantes y cabezudos
los juegos infantiles
el pregón (o discurso inaugural)
la procesión
la romería
la traca final
la verbena

2 Identifica la fiesta y tacha el intruso de cada serie.

a. La tarta, el regalo, las velas, el desfile, la música. ....
b. El discurso, el desfile, la invitación, la conmemoración, el himno nacional. ....
c. La comparsa, la procesión, el patrono, el desfile, la comitiva. ....
d. La verbena, los fuegos artificiales, las comparsas, los gigantes y cabezudos, el discurso. ....

Acciones de una fiesta

asistir a
brindar
celebrar
conmemorar una fecha / un aniversario
cumplir años
divertirse
empaquetar un regalo
entretenerse con
envolver / abrir un regalo
felicitar
hacer un brindis
hacer un regalo
hacer una despedida de soltero/a
hacer una fiesta de fin de curso
invitar a
ir de marcha
llegar a la adolescencia / madurez / vejez
organizar una fiesta
participar en
portarse bien / mal
quedarse en casa
salir a divertirse

3 Completa.

a. Si te vas a casar y quieres decir adiós a tu vida de soltero, vas a ....

b. Si alguien te da la enhorabuena, te está ....

c. Si levantas tu copa para manifestar un deseo, estás ....

Los verbos de sentimientos

aburrirse
alegrarse
asustarse
avergonzarse
cansarse
dar asco / pena / miedo
deprimirse
detestar
enfadarse
lamentar
no soportar
ponerse triste / alegre / de buen humor
sentirse agotado / triste
sorprenderse

4 Completa las siguientes frases.

a. A mí me asusta ....

b. Me aburro cuando ....

c. Me da mucha pena ....

d. No soporto ....

e. Me pone triste ....

La edad

la adolescencia
el / la anciano/a
la generación
la infancia
la juventud
la madurez
maduro/a
la mediana edad
la tercera edad
la vejez

Expresión escrita

Tienes que describir una fiesta particular de tu país, de tu ciudad o de tu grupo de amigos. Da todos los detalles posibles. Elige una de estas situaciones y escribe el texto.

- Un amigo tuyo extranjero va a ir a tu ciudad para celebrar algo contigo. Piensa el motivo (cumpleaños, despedida de soltero, boda, aniversario o fiestas patronales). Mándale un correo electrónico en el que le explicas el programa y en qué consiste. Dile si tiene que llevar algo especial.
- Estás en una asociación que colabora en las fiestas de tu ciudad. En la oficina de turismo te han pedido que les ayudes a redactar un texto en español sobre el programa de fiestas y las actividades que se realizan para promocionar el turismo hispano en tu ciudad en esas fechas.
- Es el aniversario de la fundación de tu empresa y eres el encargado de organizar los eventos para celebrarlo. Vas a invitar a unos clientes hispanos. Describe el programa de actividades que vais a organizar, los horarios y los responsables de cada evento. Da todas las pistas para motivar a tus clientes a participar.

Lee el siguiente texto y responde a las preguntas.

DÍA DE DIFUNTOS

La tradición del Día de los Difuntos, el 2 de noviembre (el 1 y 2 en México), es una fiesta que presenta **notables** diferencias entre España y los países de América Latina.

En España, se celebra la fiesta llevando flores a las tumbas de los familiares fallecidos y limpiándolas, y rezando por ellos. Pero tradicionalmente existen en algunos lugares del norte del país creencias de que en este día, así 5 como en la noche de San Juan, se puede ver con más facilidad una macabra procesión de «almas en pena» que recibe diferentes nombres: *Santa Compaña*, en Galicia; *la Güestia*, en Asturias; *la Estantigua*, en Castilla... Quienes la han visto aseguran que son un **desfile** de espectros que llevan túnicas blancas y velas, y **van precedidos** de un mortal castigado a acompañarles por las noches hasta que encuentra a alguien que le sustituya o el cansancio y la fantasmal compañía acaban con su vida.

10 Contrariamente al miedo o a la tristeza de los festejos españoles, en los países de América Latina el Día de Muertos se llena de motivos alegres. Gracias a la influencia de las culturas indígenas, se ve la fiesta como una oportunidad para comunicarse con los ancestros y para celebrar la vida. Por eso, la artesanía local de México se llena de **cráneos y calaveras** sonrientes y coloridas, en los que se escribe el nombre de los antepasados. También en las casas y pastelerías se preparan dulces con esta forma, en los que se incluyen los nombres de amigos vivos para re-15 galárselos. En Michoacán, México, aparte de la celebración de Halloween, la nota alegre la pone la mariposa blanca llamada «monarca», que vuelve de su migración de EE.UU. para este día, llenándose bosques y campos de estos insectos blancos que, siguiendo una tradición originaria de los aztecas, representan el alma de los muertos.

Algunas tradiciones llamativas en este continente son las ofrendas a los muertos. Por ejemplo, en Perú se prepara un altar en cada hogar con fotos de los fallecidos y **velas**, y se les **agasaja** con sus comidas y bebidas fa-20 voritas en vida, para que puedan venir desde el más allá a **saborearlos**. En algunos países como Colombia, Honduras y Costa Rica, llevan a los camposantos «romerías de amor»: palmas y coronas de flores que son ofrendas para agradecer a los santos los favores prestados a sus muertos. En Ecuador se celebra el día con un verdadero banquete, que en algunos pueblos aún se realiza encima de las tumbas. En Guatemala también se hacen banquetes en las casas, y se decoran estas con cipreses y con «la flor del muerto», una flor amarilla que solo flo-25 rece en estas fechas.

Pero quizá la prueba más clara de la confianza y la falta de temor a los muertos de estas tradiciones es la manera de celebrarla por algunas personas en Nicaragua: yendo a dormir esa noche al panteón, con los familiares muertos.

Día de Muertos. México

1 ¿Qué título podría encabezar el texto?

a. La comida típica en América Latina
b. El Día de Difuntos en Sudamérica
c. Celebraciones hispanas

2 Resume con tus propias palabras cada uno de los párrafos.

3 Elige la opción correcta para encontrar el significado de las palabras que están en negrita del texto.

Notables	a) agradables, perfectas	b) grandes, importantes
Desfile	a) procesión	b) canto
Ir precedidos	a) ir delante de	b) ir después de
Cráneos y calaveras	a) dulces	b) huesos de la cabeza
Vela	a) candela, cirio	b) ropa
Agasajar	a) recordar, evocar	b) homenajear, obsequiar
Saborear	a) probar algo con placer	b) probar algo que disgusta

4 Encuentra en el texto un sinónimo de:

Siniestra (párrafo 2)
Fantasma (párrafo 2)
Comitiva (párrafo 2)
Celebraciones (párrafo 3)
Antepasados (párrafo 3)
Muertos (párrafo 4)
Cementerio (párrafo 4)
Tumba (párrafo 5)

5 Responde a las preguntas:

a) ¿Qué dos nombres se mencionan en el texto para esta fiesta?
b) ¿Qué diferencia fundamental existe entre la celebración de esta fiesta entre los países de América y España? ¿A qué se debe esto?
c) ¿Qué tipo de espíritus crees que componen la Santa Compaña? ¿Por qué?
d) ¿Qué se puede comprar y regalar en estas fechas en México?
e) ¿Qué bello fenómeno natural ocurre en Michoacán estos días?
f) ¿En qué tradiciones la comida es un elemento característico de estas fiestas?
g) ¿Qué plantas se mencionan en el texto relacionadas con el Día de Difuntos?

6 Para hablar:

- ¿Cómo se celebra en tu país esta fiesta y qué creencias y tradiciones hay en torno a ella?
- Por esas fechas se celebra Halloween en los países de habla inglesa. ¿Sabes en qué consiste? ¿Qué diferencias encuentras con las tradiciones hispanas?
- ¿Te parece que la manera de concebir la fiesta en tu país se acerca más a las tradiciones hispanas o a las anglófonas?
- Explica alguna fiesta curiosa que se celebre en tu ciudad o a la que hayas asistido.
- ¿Qué elementos consideras imprescindibles para que haya una fiesta?

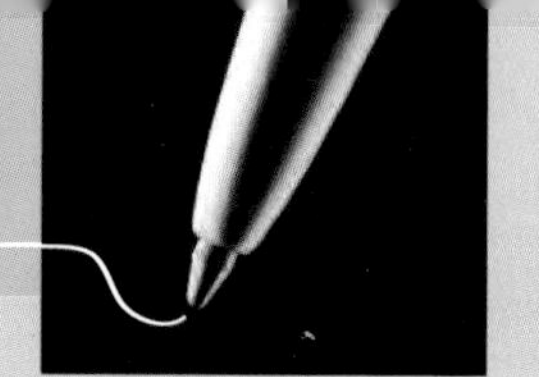

EL CUESTIONARIO

Observa la descripción del cuestionario que te da tu profesor.

Aquí tienes un cuestionario de preguntas cerradas y otro de preguntas abiertas. Léelos y responde a las preguntas:

¿Eres el rey de las fiestas?

1. **Un fin de semana ideal sería:**
   - a) Quedarte en casa ordenando tu habitación. ☐
   - b) Quedar con tus amigos para hacer algo divertido. ☐
   - c) Hacer tus deberes de español y estudiar para futuros exámenes. ☐
2. **Uno de tus lugares preferidos es:**
   - a) Enfrente de la tele. ☐
   - b) La discoteca que cierra más tarde de la ciudad. ☐
   - c) La biblioteca. ☐
3. **Si ganaras una cantidad de dinero importante:**
   - a) Te comprarías una casa más grande con más comodidades. ☐
   - b) Harías una gran fiesta para celebrarlo con todos tus amigos. ☐
   - c) Donarías parte del dinero a un estudio científico interesante. ☐
4. **Se han acabado los exámenes, ¿cómo lo celebras?**
   - a) Preparas una fantástica cena y ves una de tus películas favoritas. ☐
   - b) Preparas una fiesta superloca en tu apartamento. ☐
   - c) Ordenas y guardas tus apuntes y después te das una vuelta por la ciudad. ☐

Mayoría de respuestas *a*: Eres casero. Tu lugar favorito es la casa y rodearte de los tuyos.

Mayoría de respuestas *b*: Eres juerguista. La fiesta está hecha para ti y no desaprovechas ninguna oportunidad para demostrarlo.

Mayoría de respuestas *c*: Eres empollón. Donde mejor estás es rodeado de libros; para ti el conocer cosas nuevas es fundamental.

¿Eres el rey de las fiestas?

1. Si alguien te invita a una fiesta, ¿cuánto tardas en dar una respuesta?

   ....
2. Te preparan una fiesta sorpresa para tu cumpleaños. ¿Cómo sería tu fiesta ideal?

   ....
3. Un amigo tuyo se casa y tú... participas en los preparativos para la despedida de soltero. ¿Qué harías?

   ....
4. ¿Qué tipo de fiesta prefieres, una informal en la que se pueda hacer el indio, como el Carnaval, o una fiesta en la que haya que llevar ropa elegante?

   ....
5. Hay una fiesta de estudiantes esta noche y te encantaría ir, pero tienes que madrugar mañana para hacer un examen. ¿Irías?

   ....
6. En la fiesta de hoy la gente parece estar aburrida. Tú eso no lo soportas. ¿Qué haces?

   ....

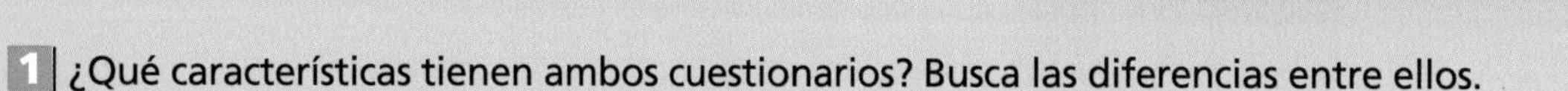

1 ¿Qué características tienen ambos cuestionarios? Busca las diferencias entre ellos.

2 ¿Por qué crees que el segundo cuestionario no tiene soluciones? Tú y tu compañero habéis respondido a las preguntas. Comparadlas. ¿Son las mismas?

3 En grupos vamos a hacer uno. Una vez confeccionado, pásalo a tus compañeros para que lo hagan y para poder establecer unas conclusiones. Aquí tienes algunas sugerencias para el tema:

fiestas españolas, las clases de español,
cómo hacer amigos rápido,
métodos para sacar buenas notas,
el compañero de viaje ideal para ti, cómo ligar...

Tema 2

UN CLIMA CAMBIANTE

El clima influye de forma decisiva en las características de un pueblo, su forma de ser, sus costumbres. La naturaleza a veces es bondadosa con sus habitantes y otras, cruel y destructora. Los fenómenos meteorológicos forman parte también de la identidad colectiva de las sociedades.

¿Cuánto sabes de la geografía climática del mundo hispano? Aquí tienes un pequeño test. Resuélvelo y discute, después, las soluciones con tus compañeros. Haz un test similar sobre los países donde se habla tu idioma.

¿En qué lugar crees que son más frecuentes los ciclones?

- ☐ En el mar Caribe y el golfo de México.
- ☐ En el mar Mediterráneo y la costa andaluza.

¿En qué zona llueve más?

- ☐ En el norte de España, la costa cantábrica.
- ☐ En la meseta castellana.

¿Dónde crees que es más frecuente esta situación?

- ☐ En Atacama, Chile.
- ☐ En los Pirineos, España.

¿Dónde son más propios los prolongados tiempos de sequía?

- ☐ En Almería y el cabo de Gata.
- ☐ En La Pampa argentina.

Aunque el granizo se puede producir casi en cualquier lugar, ¿dónde no es frecuente?

- ☐ En las islas Canarias y en las Antillas.
- ☐ En la costa Blanca y en la costa Dorada.

UN CLIMA CAMBIANTE

Infórmate

A CONCURSO: ¿CUÁNTO SABES DE LA GEOGRAFÍA ESPAÑOLA?

Contesta a las preguntas. Luego, comprueba con el profesor.

1. ¿Qué océano y dos mares rodean las costas españolas?
2. ¿Cómo se llama la superficie plana situada en el centro de la Península?
3. ¿Cuál es el nombre de los archipiélagos españoles?
4. ¿Cómo se llaman los montes situados entre España y Francia?
5. ¿Dónde está situada la cordillera Cantábrica?
6. ¿Qué sierra tiene un nombre que sirve también para describirla físicamente?
7. Nombra dos ríos españoles que empiezan por *G*.
8. ¿Cómo se llama el estrecho entre España y África?

B ZONAS CLIMÁTICAS DE ESPAÑA

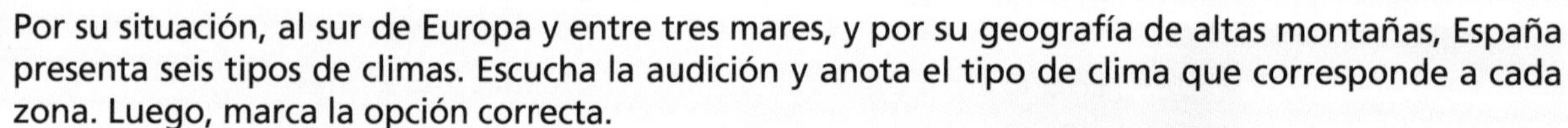

Por su situación, al sur de Europa y entre tres mares, y por su geografía de altas montañas, España presenta seis tipos de climas. Escucha la audición y anota el tipo de clima que corresponde a cada zona. Luego, marca la opción correcta.

1. El clima continental es un clima de temperaturas extremas: hace **mucho calor / poco calor** en verano, y **mucho frío / poco frío** en invierno. En la meseta, por ejemplo, **apenas llueve / llueve mucho** y las temperaturas son extremas.
2. Luego tendríamos el clima atlántico, en el norte. Aquí las lluvias son **poco habituales y escasas / frecuentes y abundantes** y las temperaturas, **extremas / moderadas**.
3. El clima mediterráneo es de inviernos muy **largos y duros / suaves y cortos** y veranos muy **cálidos y secos / fríos y húmedos**. Aquí es frecuente que a finales de verano caigan chaparrones, que pueden llegar a ser lluvias **ligeras / torrenciales**.
4. En las zonas de clima de montaña tienen unos días muy **cálidos / fríos**, con nieves y hielo perpetuos.
5. También tenemos el clima semiárido, en el que **apenas llueve / llueve intermitentemente**.
6. Y por último, está el clima de las islas Canarias, que es un clima subtropical con temperaturas **agradables / fuertes** durante todo el año... Podemos decir que allí están en el séptimo cielo.

C LA GEOGRAFÍA Y EL CLIMA DE HISPANOAMÉRICA

Hispanoamérica es un vasto territorio de una gran diversidad humana, económica y geográfica. Elige un texto e infórmate.

Infórmate

Sudamérica

Está rodeada por el océano Pacífico y el Atlántico. Hay una gran variedad de climas debido a su gran extensión: **clima tropical**, en los países cercanos al Ecuador (Venezuela, parte de Colombia y Ecuador) y al trópico de Cáncer (Paraguay, Bolivia y norte de Argentina) con lluvias y temperaturas altas; **clima templado** (Uruguay y el centro de Argentina) en el que se tienen las cuatro estaciones diferenciadas; **clima mediterráneo** (centro de Chile) con inviernos suaves y veranos secos y calurosos; **clima frío** (en la parte sur de la Patagonia -Chile y Argentina- y en las zonas que atraviesan los Andes) donde el viento y las nieves son protagonistas; **clima desértico** (en los altiplanos de Chile, Bolivia, Perú y Argentina) con escasez de lluvias y temperaturas altas.

La cordillera más importante es la de los Andes (que atraviesa Venezuela, Colombia, Ecuador, Perú, Bolivia, Chile y Argentina).

Los ríos más importantes son: el Amazonas (que nace en Perú) y el Orinoco (en Venezuela). También podemos encontrar lagos importantes como el Maracaibo (Venezuela) y el Titicaca (Perú).

Centroamérica

Limita al norte con México y al sur con Colombia, además de estar rodeada por el océano Pacífico y el Atlántico. El clima es mayoritariamente **tropical**, siendo más lluviosa la parte atlántica que la pacífica. Las lluvias cambian dependiendo de los vientos. Se divide en: **tierras calientes** (nivel del mar hasta 900 m), con temperaturas altas permanentes y abundantes lluvias; **tierras templadas** (entre 1 000 y 2 500 m sobre el nivel del mar), con temperaturas entre 15 °C y 25 °C y lluvias abundantes a finales del verano; **tierras frías** (más de 2 500 m sobre el nivel del mar), con temperaturas inferiores a los 15 °C. Entre julio y noviembre son frecuentes los huracanes en la costa atlántica.

Está recorrida por la cordillera Central, por lo que es una zona montañosa y escarpada. También es uno de los ejes volcánicos de la Tierra (tiene 60 volcanes en el interior y 31 sobre la costa del Pacífico).

Los principales ríos son: el río Coco (frontera entre Honduras y Nicaragua), el Usumacinta (frontera entre Guatemala y México) y el río Montagua (en la frontera de Honduras y Guatemala).

Nicaragua destaca por sus importantes lagos: el Managua y el Nicaragua.

Norteamérica

México limita al norte con EE. UU.; al este, con el golfo de México y el mar Caribe; al sudeste, con Guatemala y Belice; y al oeste, con el océano Pacífico.

El clima mexicano varía de **tropical** a **desértico** en función del área geográfica: al norte del país en la frontera con EE. UU. el territorio es semidesértico con **clima árido**; hacia el sur-sureste se encuentran el **clima tropical** con selvas, y en la región norte del estado de Tabasco, zonas pantanosas, con **clima húmedo**.

Las tres cordilleras más grandes de México son: la Sierra Madre Oriental y Occidental, (una continuación de las Montañas Rocosas de los EE. UU.) y Sierra Madre al sur.

Los tres ríos más importantes son: el río Bravo del Norte (o río Grande), que forma gran parte de la frontera con EE. UU.; el Colorado, cuyo comienzo está en EE. UU.; y el río Lerma, situado en los estados de Jalisco y de Michoacán.

Da tu opinión

¿Cómo es el clima de tu país? ¿Qué zonas climáticas y/o geográficas tiene? ¿Qué estaciones tiene?

¿Qué prefieres, el frío o el calor? ¿Por qué?

interactúa

Tu concurso de cultura

Con tu grupo y con ayuda de un mapa, prepara unas preguntas para hacer un concurso geográfico hispanoamericano entre toda la clase. Gana el grupo que consiga contestar más preguntas correctamente.

Reflexiona y practica

Se tiran tantas cosas a los ríos que aquí no hay quien viva.

Estamos cayendo como moscas.

Se puede afirmar que el hombre es nuestro principal depredador.

1 La impersonalidad

En español tenemos algunas maneras para «esconder» el sujeto. En el habla formal usamos la pasiva, pero en el habla informal solemos utilizar otras formas.

Se en la pasiva refleja: *Se tiran muchos residuos a los ríos.*

- Aquí el sujeto queda «escondido», porque lo que se pretende es marcar la acción. Se utiliza más que la estructura pasiva.
  Los humanos ensucian los ríos (activa).
  Los ríos son ensuciados por los humanos (pasiva).
  Se ensucian los ríos (pasiva refleja).
- Se forma usando:
  a) *Se* + verbo transitivo en 3.ª persona del singular + sujeto en singular.
  Se contamina la naturaleza.
  b) *Se* + verbo transitivo en 3.ª persona del plural + sujeto en plural.
  Se contaminan los ríos.

Se impersonal: *Se puede decir que el hombre es nuestro mayor enemigo.*

- En estas frases el sujeto desaparece, porque no es importante para lo que queremos decir.
  Los humanos creen que la naturaleza se regenera sola (activa).
  Se cree que la naturaleza se regenera sola, pero no es cierto (impersonal).
- Se forma usando: *Se* + verbo en 3.ª persona del singular.
  Se sale de la ciudad para respirar aire puro.
  Se respira mal aquí.
  Se busca a personas que quieran ayudarnos.
  Se comenta que los causantes de este problema son los humanos.

Otras formas generalizadoras: *Estamos muriendo poco a poco.*

- Se usa un sujeto generalizador para no implicar a nadie directamente.
  El hombre no cuida la naturaleza (activa).
  No cuidan la naturaleza (forma generalizadora).
- Diferentes formas:
  a) 3.ª persona del plural.
  Contaminan todo lo que está a su alrededor.
  b) *Uno.*
  Uno no sabe nunca si va a estar vivo dentro de una semana.
  c) *Tú* (elidido o no).
  En este río, si (tú) no estás alerta, no duras ni dos días.
  d) *Alguien, algunos, todo el mundo…*
  En esta zona, todo el mundo trata de sobrevivir, pero nadie nos ayuda.

2 Protestas enérgicas

Algunos creen que la situación debe cambiar y para ello es necesario protestar. Transforma estas protestas utilizando el *se* de pasiva refleja para remarcar más la acción que el sujeto.

Ej: Cuando usas bombillas de bajo consumo, ahorras energía. → Cuando se usan bombillas de bajo consumo, se ahorra energía.

Cuando usas bombillas de bajo consumo, ahorras energía. Piensa en ello si necesitas comprar una nueva.	*Cuando compres alimentos, debes evitar los envases no reciclables. El futuro depende de ti.*
¿Qué hacer con la basura? Si los hombres la queman, contaminan el aire; si la gente la entierra, contamina el suelo; si los humanos dejan los residuos en los ríos o mares, contaminan el agua. ¡Basta ya! RECICLA.	*Si usas la bicicleta más y dejas el coche en casa, tu salud y la naturaleza te lo agradecerán.*

Reflexiona y practica

3 Tus protestas

- ✔ Ahorrar agua o papel
- ✔ Reforestar bosques
- ✔ Reutilizar productos
- ✔ Usar transporte público
- ✔ Compartir coches

Piensa ahora en alguna protesta que puedes hacer para concienciar a la gente del mal uso que hace de la naturaleza utilizando el *se* de pasiva refleja. Aquí tienes algunas cosas en las que podrías pensar.

✔ ....

✔ ....

✔ ....

✔ ....

✔ ....

4 Ayuda a redactar este texto

Mira el siguiente documento, en el que se habla del efecto invernadero, y elige la forma correcta de *se*, impersonal o pasivo reflejo.

El efecto invernadero

En el último siglo se ha comprobado / se han comprobado que la concentración de anhídrido carbónico y de otros gases invernadero en la atmósfera ha ido creciendo debido a la actividad humana ya que:

1. Se ha vivido / Se han vivido etapas en las que se quema / se han quemado grandes masas de vegetación para ampliar las tierras de cultivo o se ha talado / se han talado árboles por la demanda de madera.
2. Se ha vendido / Se han vendido cada vez más coches sin reparar en el excesivo uso de combustible.
3. Se ha abusado / Se han abusado del uso del carbón y gas natural, para obtener energía.

En fin, se ha hecho / se han hecho muchas cosas descuidando las consecuencias medioambientales de las mismas.

En un principio, se pensó / se pensaron que las grandes concentraciones de gases con efecto invernadero producirían un aumento de la temperatura en la Tierra. En 1979 se comenzó / se comenzaron a difundir la concentración del CO_2 en la atmósfera y su consiguiente consecuencia: un calentamiento medio de la superficie de la Tierra de entre 1,5 y 4,5 °C.

Actualmente se opina / se opinan que el calentamiento se producirá / se producirán más rápidamente sobre la tierra que sobre los mares. Al principio, los océanos más fríos tenderán a absorber una gran parte del calor adicional retrasando el calentamiento de la atmósfera. Solo cuando los océanos se calienten, se producirá / se producirán los cambios finales que se predice / se predicen para dentro de varias décadas.

Texto adaptado de http://www.tecnun.es/

interactúa

Lo que opina la gente

Seguramente habrás oído muy diferentes opiniones sobre estos temas. ¿Estás de acuerdo? Explica lo que la gente piensa y da tu opinión sobre ello.

Se dice...	→	Los climas húmedos y la salud
Se comenta...		El uso de bombillas de bajo consumo
Se piensa...		El uso de pilas recargables
Se cree...		Las centrales térmicas
Se prevé...		Los aerogeneradores
		El uso de teléfonos móviles y la salud

Ahora elige uno y, utilizando las formas impersonales vistas, escribe un breve texto.

2 TEMA UN CLIMA CAMBIANTE

En las Canarias se está en el séptimo cielo.

1 ¿Qué crees que significa la expresión?

a. Estar en un lugar muy placentero.
b. Estar en un lugar muy alto.

Así se habla

Existen otras expresiones relacionadas con la naturaleza.

2 Relaciona para formar las expresiones.

1. Tragársele a uno la ....
2. Volver las aguas a su ....
3. Seguirle a alguien la ....
4. Cambiar de ....
5. Romper el ....
6. Hacérsele a uno la boca ....
7. Contra viento y ....
8. Poner el grito en el ....
9. Cruzar el ....
10. Poner a alguien por las ....

agua · **aires** · **cauce** · **charco** · **cielo** · **corriente** · **hielo** · **marea** · **nubes** · **tierra**

3 Identifica ahora su significado.

a. Cruzar el mar, en especial cruzar el Atlántico e ir de España a América o al revés.
b. Seguir o mostrarse conforme con lo que otro dice o hace para no tener problemas.
c. Irse a otro lugar diferente.
d. En una reunión, hacer algo para superar la vergüenza inicial.
e. Hacer algo venciendo todas las dificultades.
f. Desaparecer sin dejar rastro.
g. Pensar con gusto en alguna comida que nos ha gustado.
h. Volver a una situación que se considera normal o deseable.
i. Quejarse fuertemente de algo.
j. Hablar bien de una persona.

Junto con tu compañero, crea distintos contextos donde podrías utilizar estas frases. Después, represéntalos para el resto de la clase.

4 Utilízalas en estos contextos.

- Después de las últimas reuniones con tantas discusiones, por fin ....
- Tengo ganas ya de .... y conocer nuevas ciudades.
- Gandhi luchó .... contra las desigualdades.
- Desde que tiene novia parece que ...., nunca lo vemos.
- Su madre .... cuando supo que no iba a pasar el día de Navidad con la familia.
- Este verano creo que .... y me iré lejos de vacaciones.
- Si ves que empieza a gritar, tú .... e inmediatamente dejará de hacerlo.
- Para ...., cuando me gusta algún chico, siempre le pregunto si sabe qué hora es.
- Cuando huelo lo que está cocinando, siempre ....
- Se nota que le cae bien, porque siempre que puede la ....

Da tu opinión

¿Existen expresiones parecidas en tu lengua?

UN CLIMA CAMBIANTE

El desarrollo tecnológico y humano muchas veces parece estar en oposición con la naturaleza. Algunos opinan que lo primero es la prosperidad de la sociedad y otros, que primero es salvaguardar la naturaleza. Vamos a discutir sobre el desarrollo sostenible.

Exprésate

1. Aquí tienes algunas formas que utilizamos para mostrar acuerdo o desacuerdo con lo que ha dicho otra persona. Clasifícalas en el lugar adecuado.

Apoyo lo que has dicho | Me doy cuenta, sin embargo… | Reconozco que tienes razón | No siempre | Tal vez en algunos casos | Puede ser, pero… | Estoy completamente de acuerdo

Acuerdo	Desacuerdo
▶	▶
▶	▶
▶	▶
▶	▶

2. **Practica estas expresiones expresando tu opinión sobre las siguientes ideas.**
   - a. El hombre no puede vivir sin utilizar recursos naturales.
   - b. La Tierra tiene su propio proceso de autorregulación, con el que ella misma mantiene su equilibrio, destruyendo y creando cuando es necesario.
   - c. Los gobiernos dejan toda la responsabilidad ecológica a los ciudadanos, pero ellos no hacen nada.
   - d. La ecología es cara y solo puede hacerse en países ricos.
   - e. Debería haber un impuesto ecológico en todos los países proporcional a lo que contamina cada uno.
   - f. Ser ecologista está de moda y muchas empresas aprovechan esta situación para obtener beneficios económicos.

3. **Vamos a organizar un debate sobre el desarrollo sostenible.**
   - a. Dividimos la clase en grupos.
   - b. Cada grupo deberá defender una postura y rebatir las opiniones del otro grupo.
   - c. El profesor decidirá quién ha argumentado mejor sus ideas. Por ello, prepara tus argumentos.

Sois los relaciones públicas de una multinacional que obtiene muchos beneficios con sus numerosas fábricas de miles de empleados.

Sois un grupo ecologista, que intenta vivir de la manera más natural posible.

   - d. Debate ahora con tus compañeros tu verdadera opinión sobre el tema.

PREPÁRATE PARA ESTE TEMA

Para trabajar con este tema, revisa el léxico, comprueba las palabras que conoces, aprende las nuevas y realiza las actividades.

Las plantas

el alga*
el árbol frutal
el arbusto
el césped
los estambres
el fruto
la hierba
la hoja
el junco
la maceta
el pino
el pétalo
la raíz
la rama
la semilla
la seta
el tronco

*Es una palabra femenina.

1 Identifica el nombre de las distintas partes de una planta.

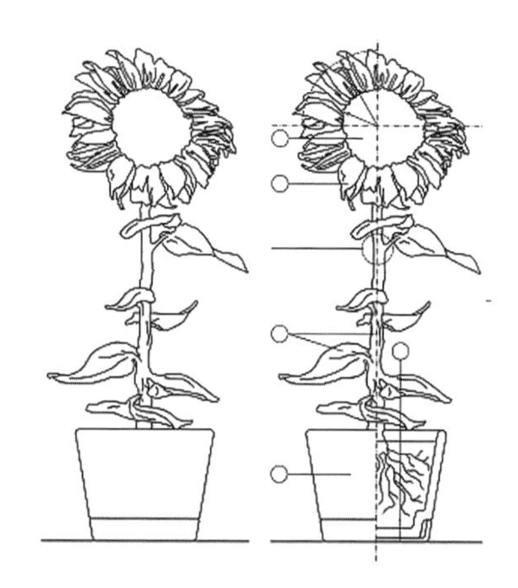

2 Clasifica los nombres de las plantas en dos grupos: de agua y de tierra.

Los animales

el animal doméstico / de compañía / mascota
el animal salvaje
el ave
la especie autóctona
la especie en peligro de extinción
la especie protegida
el insecto
el mamífero
marino
el reptil
terrestre
volador

Partes de animales

el aguijón
las alas
las aletas
las antenas
las branquias
los cascos
la cresta
la crin
el cuerno
las escamas
las espinas
las garras
el hocico
la membrana
las patas
las pezuñas
el pico
las plumas
las púas
el rabo / la cola
los tentáculos
las zarpas

3 Piensa en un animal y descríbelo. Tus compañeros tendrán que adivinar cuál es.

El clima

el anticiclón
la borrasca
el chaparrón
el clima seco / húmedo
la estación (del año)
estar despejado / cubierto
granizar
el granizo
helar
el hielo
llover
la lluvia
nevar
la nube
nublarse
el relámpago
la temperatura
el temporal
el trueno

4 Relaciona.

1. anticiclón a. trueno
2. húmedo b. despejado
3. cubierto c. seco
4. relámpago d. borrasca

5 Indica dos aspectos del clima para cada estación.

- en primavera ....
- en verano ....
- en otoño ....
- en invierno ....

Las catástrofes y los cambios en la naturaleza. El medio ambiente

el alud
la avalancha
la caza
la construcción de embalses
la contaminación
la desertización
el huracán
la introducción de especies no autóctonas
la inundación
el maremoto
la pesca
la polución
la reforestación
los residuos tóxicos
la sequía

Geografía humana y política

el área*
el crecimiento / aumento de la población
la densidad de población
la disminución de la población
el Ecuador
la emigración
los habitantes por metro cuadrado
el hemisferio norte / sur
el índice de población / natalidad / mortalidad
la inmigración
rural
la superpoblación
el trópico de Cáncer / Capricornio
urbano

*Es una palabra femenina.

Expresión escrita

Vas a describir el entorno donde vives. Elige una de las siguientes situaciones y redacta tu texto.

- Anima a un amigo extranjero a visitar tu región en sus próximas vacaciones. Describe el paisaje, el entorno y lo que podría hacer allí, y envíale un correo electrónico.
- Estás preocupado por el entorno en el que vives y decides escribir una carta al director de un periódico denunciando la situación.
- Tu empresa quiere abrir una sucursal. Una de las posibilidades es que lo haga en tu entorno. Redacta un informe describiéndolo e indicando las ventajas de abrir la empresa en tu región.

Lee el siguiente texto y responde a las preguntas.

ECOPOP: música, naturaleza y... ¡sostenibilidad!

Este pequeño festival que tiene lugar en el bello paraje de Arenas de San Pedro (Ávila), en pleno valle del Jerte, se confirma como una de las alternativas más sostenibles para disfrutar de cultura, música en directo y naturaleza, apostando por una producción sostenible y toda una serie de acciones de promoción del entorno natural y concienciación del público.

5 De este modo, si te gusta la naturaleza y la música pop, y no sabes qué hacer el fin de semana del 20 y 21 de agosto, el ECOPOP es tu plan perfecto. Durante el día puedes disfrutar de las rutas aconsejadas, refrescándote en alguna de las piscinas de agua dulce y cargando energías con una buena comida de productos locales. Todo ello siguiendo los consejos que encontrarás en su página web para que tu disfrute **no esté reñido** con la naturaleza: viajar en transporte público hasta el festival, hacer acampada o dormir en hoteles u hostales ecológicos, 10 consumir productos locales y de temporada y alejarse de la comida rápida, llevar bolsas reciclables para hacer la compra, utilizar papeleras de reciclaje en el festival, etc.

Por la noche te espera un cartel compuesto por lo mejor del pop nacional, música en directo y unos buenos DJ para terminar la velada. Y para reducir al máximo posible la huella ecológica del festival, el ECOPOP junto a Universo Vivo han diseñado un detallado y ambicioso plan de producción sostenible. Más concretamente habrá un 15 servicio de transporte público entre el *camping* y la zona de conciertos, la señalización utilizada será reutilizable, los materiales utilizados en toda la producción (tanto en barras, camerinos, alojamientos y *merchandising*) serán ecológicos y de comercio justo. Como siempre **cobra** gran **importancia** la gestión selectiva de residuos, que **estará presente** tanto **en** el recinto como en el *camping*. Entre otras acciones se llevará a cabo una «gestión sostenible del vaso» promoviendo la participación del público que obtendrá una consumición por cada veinte vasos 20 vacíos entregados en barra. También estarán disponibles consejos de buenas prácticas en los diferentes recintos, de hecho ya en su web se pueden ver algunas ideas para reducir el impacto. Y tal y como ya hicieron en la edición de 2009, el próximo invierno tendrá lugar el Boscopop, evento en el que se plantarán cientos de árboles para compensar las emisiones de CO_2 derivadas de la producción y que 25 calculará Universo Vivo, así como para reforestar una parte del bosque que se quemó en el verano anterior.

Y es que el ECOPOP es realmente ECO, y así lo entienden los artistas que participan en el festival que ofrecerán una canción de su repertorio en acústico y sin iluminación con el fin de con- 30 cienciar sobre el consumo energético. Un evento dentro del evento, una experiencia inolvidable. Por todo ello, el ECOPOP opta al certificado de sostenibilidad de Universo Vivo, reconocimiento de la máxima sostenibilidad que por el momento ningún otro evento ha conseguido en España.

1 En el texto aparecen señaladas en verde algunas expresiones. Según el contexto, elige la opción adecuada para conocer cuál es su significado.

No estar reñido con (algo)
a. no impedir que ocurra (algo)
b. no querer que ocurra (algo)
c. no depender de que ocurra (algo)

Cobrar importancia
a. ser poco importante
b. necesitar algo importante
c. destacar cosas importantes

Estar presente en (algo)
a. es actual (algo)
b. está hecho en un lugar (algo)
c. está en un lugar (algo)

2 Encuentra la palabra o grupos de palabras del texto que podrían ser sustituidas por estas otras:

Bonito lugar (párrafo 1)
Apoyo de la naturaleza (párrafo 1)
Tu manera de pasarlo bien (párrafo 2)
Ir de *camping* (párrafo 2)
Acabar la jornada (párrafo 3)
Disminuir al límite el impacto ecológico (párrafo 3)
Dados en el mostrador donde se sirven bebidas (párrafo 3)
Una canción de la lista de sus habituales tocadas sin electricidad (párrafo 4)

3 Busca en el texto 5 palabras relacionadas con la ecología:

....

4 Localiza en la lectura 3 acciones ecológicas que se realizan en el festival:

....

....

....

5 Contesta a las preguntas:

a. ¿Qué se puede hacer durante el día mientras se celebra el festival? ¿Y por la noche?
b. Los organizadores del festival dan consejos ecológicos a sus participantes, ¿dónde puedes encontrarlos?
c. ¿Qué acciones ecológicas siguen los organizadores?
d. ¿En qué consiste el Boscopop?

6 Para hablar:

- ¿Crees que los festivales de música o grandes eventos con mucho público son ecológicos? ¿Consideras que todos podrían llegar a ser como Ecopop?
- ¿Te parece que la implicación de cantantes o grupos puede ayudar a concienciar a la gente?
- ¿Te consideras una persona ecológica? Y tu ciudad, ¿lo es?

EL INFORME

En los cuadros siguientes hay definiciones de varios tipos de texto. ¿Cuál de ellas es la de un informe? ¿Sabrías decir a qué tipo de texto se refieren los otros dos?

Escrito dirigido a la autoridad competente en el que se detallan hechos que han ocurrido que van en contra de la ley.

Documento de carácter escrito que tiene por fin el contacto inicial con una persona o una empresa, a través de la presentación de las características profesionales o personales (dependiendo del tipo) de dicha persona o entidad.

Documento de carácter científico que contiene información sobre los resultados de una investigación.

Observa la descripción de un informe que te da tu profesor. Después, lee este y responde a las preguntas.

El presente informe se propone presentar las conclusiones obtenidas de la investigación sobre el cambio climático financiada por nuestra Facultad de Ciencias del Medio Ambiente, que tuvo lugar desde enero del 2007 hasta enero del 2009. **En primer lugar**, se describe por qué y cómo se ha procedido a llevar a cabo esta investigación, **para después** pasar al análisis extenso de las hipótesis existentes sobre el cambio climático, de los factores que están contribuyendo a acelerar el proceso **y, por último**, se dan algunas recomendaciones sobre las medidas que deberían tomarse para evitar el empeoramiento de la situación... **Asimismo**, podemos ver... [...]

El cambio climático ha dejado hace tiempo de ser considerado una amenaza imaginaria de algunos ecologistas extremistas y es aceptado entre la comunidad científica como un hecho real y fácilmente demostrable.

Con la investigación, se pretende llegar a determinar el grado de profundidad... [...]

Para la presente investigación, varias zonas climáticas han sido cubiertas. Debido a que muchos medios han sido limitados, no ha podido cubrirse [...]

La hipótesis menos popular sobre este tema, pero científicamente válida, es la de que el calentamiento global es el comienzo de un proceso de glaciación (que es precedido por unas décadas de aumento de la temperatura)... En la milenaria historia de nuestro planeta han sido constatados varios periodos de glaciación, pero aún no hay un consenso científico para explicar los motivos que lo desencadenaron o para predecir lo que ocurrirá en el futuro. **Sin embargo**, la mayor parte de los científicos está más inclinada a apoyar la segunda hipótesis.

La otra hipótesis es la siguiente: **Puesto que** .... [...]

Con respecto a los factores que están provocando este proceso, o al menos agravándolo, cabe destacar: ......
....

Por consiguiente, en este momento podemos asegurar que el calentamiento global es un hecho altamente probado... [...]

Teniendo en cuenta lo visto hasta el momento, urge tomar las siguientes medidas...

1 ¿Se trata de un texto de carácter informal o formal? Fíjate en el lenguaje que utiliza.

2 En el texto es escasa la presencia del subjuntivo en las oraciones subordinadas porque se trata de mostrar objetividad. Además, se evita utilizar oraciones y expresiones personales («el informe que se presenta a continuación», en lugar de «el informe que presentamos»; «hay que / cabe destacar», «urge tomar» por «podemos destacar», «tenemos que tomar»), con lo que se recurre a menudo a los diferentes tipos de *se* y a la pasiva. Busca más ejemplos en el texto del uso de estas estructuras y trata de explicar a qué se deben ambos factores.

3 En el texto aparecen en negrita algunos conectores del lenguaje formal. Escribe dos más en cada uno. (Fíjate en los signos de puntuación que suelen llevar).

ORGANIZADORES	ADITIVOS	CONSECUTIVOS	RECAPITULADORES	REFORMULADORES	CONTRASTIVOS
▶En primer lugar,...	▶Asimismo,...	▶Por consiguiente,...	▶Teniendo en cuenta...	▶..., o dicho de otro modo,	▶Sin embargo,...

4 Siguiendo el estilo del texto, completa las líneas en blanco del mismo con tus conocimientos sobre el tema.

Escribe tu propio informe después de haber investigado sobre algún asunto. Te proponemos algunos temas, aunque puedes iniciar la investigación sobre el tema que tú prefieras.

Los parques naturales de España.
Deforestación del Amazonas.
Hábitos de reciclaje de la sociedad en la que estás viviendo.
Lenguas de España.
Uso del español en el mundo.
Lenguas habladas en la sociedad en la que vives (posibles conflictos).

Tema 3

LOS INTERCAMBIOS DE ESTUDIANTES

La educación superior se enfrenta hoy al reto de proporcionar una educación universitaria exigente, ofrecer unas titulaciones que preparen al mundo laboral, mantener unos estándares de calidad y dar una imagen internacional de prestigio. Los intercambios universitarios fomentan la formación de los estudiantes en lenguas y en sus carreras profesionales, proporcionan la transparencia y equidad de criterios, y ayudan a un desarrollo homogéneo de capacidades. Conocer las posibilidades y acercarse a ellas nos abre las puertas a un mundo de investigación y desarrollo personal.

- **Infórmate:** La enseñanza superior
- **Reflexiona y practica:** Las perífrasis
- **Así se habla:** Expresiones coloquiales con los estudios
- **Tertulia:** El mejor sistema educativo
- **Taller de lectura:** Tipos de estudiantes universitarios
- **Taller de escritura:** El cómic

¿Harías un intercambio universitario? ¿A qué lugares estarías dispuesto a ir? ¿Conoces estas universidades hispanas? ¿Cuál de ellas elegirías para hacer un intercambio universitario? ¿Por qué?

La **Universidad Nacional Autónoma de México** (UNAM) es la mayor entidad de estudios del país y la primera universidad hispana más valorada. Fue fundada en 1901 y, en 2007, la UNESCO declaró Patrimonio de la Humanidad su campus principal, destacándolo como «un conjunto monumental ejemplar del modernismo del siglo XX». Se caracteriza por tener infraestructura para la investigación y desarrollo tecnológico que ninguna otra institución mexicana pública o privada posee. Incluye, entre otros: 143 bibliotecas, el Centro Nacional de Prevención de Desastres Naturales, el Servicio Sismológico Nacional, dos observatorios astronómicos, una de las supercomputadoras más poderosas de América Latina, etc.

La **Universidad Complutense** es la universidad con mayor número de alumnos presenciales de toda España (88 177 alumnos y 6 000 profesores) y es la segunda de toda Europa. Es el destino más elegido por los estudiantes Erasmus, y la segunda universidad hispana según un *ranking* internacional. Además, la biblioteca de la universidad es una de las bibliotecas más importantes de España, siendo la segunda en fondos bibliográficos después de la Biblioteca Nacional de España. Ofrece 78 titulaciones.

La **Universidad de Chile**, conocida coloquialmente por sus apodos «La U», «La Casa de Bello» o simplemente «La Chile», es la primera universidad republicana en Chile con 23 279 alumnos de pregrado y 3 659 de posgrado. Realiza el 37% de las publicaciones científicas chilenas. Tiene 49 bibliotecas, y 2 249 990 volúmenes bibliográficos, repartidos en 26 784 m² y 4 217 puestos de lectura. El Campus Antumapu es uno de los más extensos en superficie en el país (el Estado Vaticano cabría más de 7 veces en este). En el año 1987 la Universidad inscribió el primer dominio en Chile (cl). Fue www.uchile.cl.

La **Universidad de Buenos Aires** (UBA), fundada el 12 de agosto de 1821 en la ciudad de Buenos Aires, es la mayor universidad de Argentina y una de las mayores y más prestigiosas de América Latina. Cuenta con un total de 72 carreras de grado, en las que dictan clases 28 490 docentes. Cerca del 30% de la investigación científica del país se realiza en esta institución. Cuatro de los cinco ganadores argentinos del Premio Nobel han sido estudiantes y profesores de esta Universidad.

LOS INTERCAMBIOS DE ESTUDIANTES

Infórmate

A LAS BECAS ERASMUS

Escucha la conversación y di si las afirmaciones son verdaderas o falsas.

Las becas Erasmus están pensadas para que los estudiantes puedan asistir a otras universidades dentro y fuera de su país.	V F
La finalidad principal de estas becas es aprender la lengua del país de destino.	V F
La duración de las becas es de tres meses a un año.	V F
Se puede ir a cualquier ciudad que el estudiante quiera.	V F
Los estudiantes Erasmus tienen pagados todos los gastos de su estancia en otro país.	V F
Para poder acceder a una de estas becas, tienes que haber aprobado el segundo año de carrera.	V F

B LA EXPERIENCIA DE UN ESTUDIANTE ERASMUS

Estos son los pasos que un estudiante tiene que hacer para poder solicitar una beca Erasmus. Ordénalos. Luego, contesta a las preguntas.

☐ Luego, me fui al Servicio de Relaciones Internacionales, puesto que allí gestionan todo lo relacionado con la movilidad de estudiantes entre distintos países.

☐ Además, ese mismo día, me informaron de los cursos de idiomas a los que podría acceder en las universidades extranjeras. ¡Pero primero tenía que escogerla!

☐ Por último, eché mi solicitud y ya solo me quedaba esperar si me aceptaban o no y cuál sería mi destino. Si era que sí, iba a empezar mi experiencia Erasmus...

☐ Lo primero que hice fue ponerme en contacto con la secretaría de mi facultad para que me diera la primera información.

☐ Cuando llegó el plazo de solicitud, un mes más tarde, tuve que rellenar varios impresos. Entonces tuve que elegir 3 destinos y ordenarlos según mis preferencias.

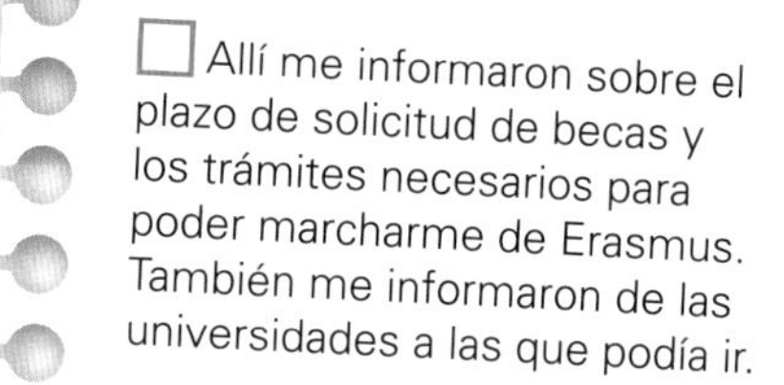

☐ Allí me informaron sobre el plazo de solicitud de becas y los trámites necesarios para poder marcharme de Erasmus. También me informaron de las universidades a las que podía ir.

- ¿Dónde se gestionan todas las solicitudes para las becas internacionales?
- ¿Qué información reciben los estudiantes que acuden allí?
- ¿Qué es necesario indicar cuando se rellenan los impresos?

C UN INTERCAMBIO EN EL EXTRANJERO, UNA EXPERIENCIA ÚNICA

Un antiguo Erasmus habla de su experiencia. Esto es lo que más recuerda. Escucha y di cuáles de los siguientes aspectos se mencionan en la audición.

- Al final hizo otra familia allí, su familia Erasmus.
- Compartió piso con una holandesa y un francés.
- Aunque estaba con mucha gente, a veces se sintió solo.
- La vida de los Erasmus es vista como una vida de fiestas y poco estudio.
- A pesar de todo, él tuvo que estudiar bastante.
- Viajó mucho para conocer más sobre su país de destino.
- Hizo una fiesta de despedida antes de regresar a su país.
- Al llegar a España, sintió mucha añoranza de su vida de Erasmus.

De intercambio

1. ¿Has participado en algún programa de intercambio? Explica tu experiencia. Si no lo has hecho, ¿te gustaría participar en alguno? ¿Por qué?
2. ¿Qué país o universidad preferirías para hacer un supuesto intercambio?
3. ¿Crees que las experiencias internacionales son positivas para la formación de las personas?

D VOLUNTARIADO UNIVERSITARIO

Lee el texto sobre el voluntariado universitario y contesta a las preguntas.

YO también aprendí de ÉL

Elige ser parte en: www.superacionpobreza.cl

Inscríbete del 16 de Marzo al 16 de Abril.

VACACIONES HUMANITARIAS

Las universidades y ONG organizan campos de trabajo durante los meses de verano

Los campos de trabajo son una iniciativa cada vez más mayoritaria entre los universitarios. De ellos puedes no solo obtener una experiencia inolvidable, sino también la satisfacción de ofrecer ayuda a otros.

Estos campos de trabajo durante el verano son una iniciativa en alza, sobre todo si quieres convivir con jóvenes de otras culturas y países, ayudar en labores sociales, medioambientales o sanitarias, aprender y tener la satisfacción de unas vacaciones bien aprovechadas. Estas actividades van dirigidas especialmente a jóvenes, entre 18 y 30 años y la duración suele ser de unos 15 días, de lunes a viernes.

La Arqueología, la Etnología, el Medio Ambiente, Reconstrucción y Trabajo social, entre otros, son los campos en los que se puede participar. Actualmente las acciones relacionadas con el medio ambiente y los animales en peligro de extinción cuentan con un 26,5% de estudiantes universitarios; la enseñanza, con un 21,5%; la ayuda a discapacitados físicos y psíquicos, con un 15,3% y la sanitaria cuenta con un 13,1%. Las universidades constituyen un vínculo muy importante entre los problemas que requieren de ayuda solidaria y voluntaria y los alumnos, ya que en muchos casos las propias universidades cuentan con oficinas de voluntariado, desde donde puedes tramitar tu solicitud al campo de trabajo escogido y la zona a la que te apetece viajar.

Los objetivos y las finalidades que tienen los campos de trabajo son varias: formar a sus participantes, por medio de la vida en grupo y el trabajo en equipo de un modo distendido y ameno; conseguir que el trabajo realizado tenga una incidencia social positiva; potenciar las relaciones interculturales, no solo entre los participantes del campo, sino también con los habitantes de la zona en que se encuentre situado el trabajo; y cómo no, aprender la lengua del país de destino.

Algunos países a los que puedes viajar son: Alemania, Argentina, Australia, Bélgica, Egipto, España, Francia, India, Islandia, Marruecos, México, Moldavia, Rumania, Vietnam...

Adaptado de http://universitarios.universia.es

Infórmate

Contesta:

- ¿Qué se hace en un campo de trabajo?
- ¿Qué actividades son las más solicitadas por los estudiantes?
- ¿Qué duración tienen?
- ¿A dónde pueden acudir los universitarios para solicitar ir a un campo de trabajo?
- ¿Qué objetivos persiguen este tipo de actividades?

Da tu opinión

¿Qué ayudas existen en tu país para los estudiantes para que puedan completar su formación internacionalmente?

interactúa

¿Serías voluntario?

¿Has participado en una actividad de voluntariado? ¿Qué te parece este tipo de actividades?

LOS INTERCAMBIOS DE ESTUDIANTES

Reflexiona y practica

1 Las perífrasis verbales

Están formadas por un verbo auxiliar en forma personal (que pierde parte de su significado primitivo) y un verbo en forma no personal (infinitivo, gerundio o participio). La mayoría de las perífrasis tienen una preposición o una conjunción.

Perífrasis de infinitivo (*-ar/-er/-ir*)	
MARCAN EL PRINCIPIO	▸ ***Echarse a*** **+ infinitivo** de algunos verbos, como *reír, llorar, andar, correr, volar*: muestra el momento del inicio de la acción. *Se echó a llorar, porque no aprobó el curso.* ▸ ***Ponerse a*** **+ infinitivo:** marca el comienzo de una acción. *Me puse a estudiar el día antes del examen, ¡y así me fue!*
MARCAN EL FINAL	▸ ***Acabar de*** **+ infinitivo:** hace un momento. *Acabábamos de llegar a casa, cuando nos llamó con la mala noticia.* ▸ ***Dejar de*** **+ infinitivo:** parar de hacer algo; dejar un mal hábito. *Después de unas malas notas, dejó de venir a clase.* *¿Cuándo vas a dejar de fumar?* (reproche)
MARCA LA HIPÓTESIS	▸ ***Deber de*** **+ infinitivo:** indica estimación sobre algo. *Debo de tener el diccionario en casa, porque no lo encuentro.*
MARCA LA FRECUENCIA	▸ ***Soler*** **+ infinitivo:** muestra una acción habitual. *Suelo estudiar los fines de semana.*
MARCA LA REITERACIÓN	▸ ***Volver a*** **+ infinitivo:** hacer algo otra vez, de nuevo. *Después de un rato, volvió a entrar en la biblioteca.*
MARCA LA INMEDIATEZ DE LA ACCIÓN	▸ ***Estar a punto de*** **+ infinitivo:** marca la proximidad para que la acción ocurra. *Estaba a punto de acabar la clase cuando me sonó el móvil.* ▸ También puede tener un valor de estar cercano el cumplimiento de la acción, pero sin llegar a ocurrir, con un significado parecido a *casi*. *En ese examen, estuvimos a punto de suspender.*

Perífrasis de gerundio (*-ando/-iendo*)	
MARCAN LA DURACIÓN	▸ ***Seguir / Continuar*** **+ gerundio:** expresa la continuidad de la acción. *Seguimos estudiando, hasta esta tarde.* ▸ ***Llevar*** **+ gerundio (+ periodo de tiempo):** indica el tiempo que dura una situación. *Lleva haciendo prácticas un mes.* ▸ ***Pasarse*** **(tiempo)** ***haciendo*** **(algo):** expresa el tiempo que se necesita para terminar la acción. *Me pasé dos horas haciendo el trabajo de ciencias.*

2 Valores temporales

Ordena temporalmente la siguiente acción.

Ana estaba repasando los apuntes.

Ana siguió repasando los apuntes.

Ana llevaba repasando los apuntes una hora.

Ana estaba a punto de repasar los apuntes.

Ana iba a repasar los apuntes.

Ana se puso a repasar los apuntes.

Ana acabó de repasar los apuntes.

Ana dejó de repasar los apuntes.

3 Mejora las frases

Vuelve a escribir las frases cambiando las palabras en negrita por una de las perífrasis anteriores.

1. **Hace un minuto que he devuelto** el libro a la biblioteca y, ahora, ¿quieres volver a verlo?
2. **Habitualmente me levanto** a las 7, porque mis clases empiezan a las 8.
3. **He estado estudiando** para este examen **un mes entero**.
4. En clase de Económicas, **más o menos somos** unos 20.
5. **Empecé a reír** cuando vi a los de primero en su día de novatadas.
6. **Comenzaré a hacer** el trabajo esta tarde si quiero tenerlo acabado para el lunes.
7. No sé si **iré de nuevo** a estas conferencias. Se me hicieron un poco pesadas la última vez.
8. Cuando el profesor empezó a decirle lo mal estudiante que era, **casi se levantó para** irse.

4 El paso del Ecuador

¿Sabes lo que es el paso del Ecuador? Es una fiesta y, a veces, un viaje que celebran los estudiantes cuando están a mitad de carrera. Mira lo que ha escrito un universitario en su *blog*. Complétalo con las perífrasis vistas anteriormente.

blog.com.es

Lenguaje: Español · Ayuda · Registrarse · Iniciar Sesión

Buscar por en Blogs Búsqueda

Inicio Comunidad

¡Bestial! Así se podría resumir el paso del Ecuador de ingenieros del pasado viernes. La tarde empezó rara, ... salir de la ducha, cuando me llamó Luis para decirme que .... no ir, porque no sabía qué ponerse. .... reír creyendo que era una de sus bromas, pero no, esta vez iba en serio. Necesité un buen rato para **convencerle de** que su traje y corbata nuevos le daban un aire intelectual que dejaría a más de una K.O. Después de tres horas, ... hablar y yo, de nuevo, ... prepararme para la supernoche. Verme en el espejo vestido con un traje me resultaba extraño, como si, por primera vez, viese a otra persona a través del reflejo. Más raro fue ver luego a mis colegas con las mismas pintas que yo; ya no sabía si tratarlos de tú o de usted.

Nos fuimos todos a la parada del autobús que nos llevaría a la cena. No se preveía mala la noche: cena y, después, baile hasta las tantas. Cuando llegamos, pequeño cóctel y reparto de mesas, a la que nos acompañó nuestra dama de honor que, además, presidió la mesa.

.... brindar un montón de veces. Luego, aparecieron los camareros y .... comer los platos que nos fueron trayendo. Y la mayoría acabamos con alguna mancha en camisa o corbata. ¡Será la poca práctica! Aunque, la verdad es que podría **acostumbrarme a** este tipo de cenas fácilmente. ¡Qué rico todo! Y eso que yo no me **conformo con** cualquier cosa…

La sobremesa fue entretenida. .... un buen rato contando anécdotas de la carrera, nos sacamos fotos y empezamos a notar los primeros calores que nos obligaron a sacarnos chaquetas (¡nunca había **pensado en** el calor que podía dar una corbata tan pequeña!).

.... hablando ya bastante cuando los focos principales disminuyeron su intensidad y dieron protagonismo a la orquesta. Entonces, empezamos a dar vueltas y nos encontramos con más ingenieros con los que .... coincidir cada día.

La noche llegó a su final, tal y como empezó: con una sonrisa en nuestras caras.

5 Verbos con preposición

En el texto puedes ver algunos verbos marcados que se usan siempre con la misma preposición. Aquí tienes algunos más. Únelos con la preposición que suele acompañarles. Después, forma frases.

casarse _ (alguien)
contar _ (algo)
compartir _ (alguien)
soñar _ (algo)
tropezar _ (algo)

acordarse _ (algo)
darse cuenta _ (algo)
depender _ (algo)
enamorarse _ (alguien)
quejarse _ (algo)

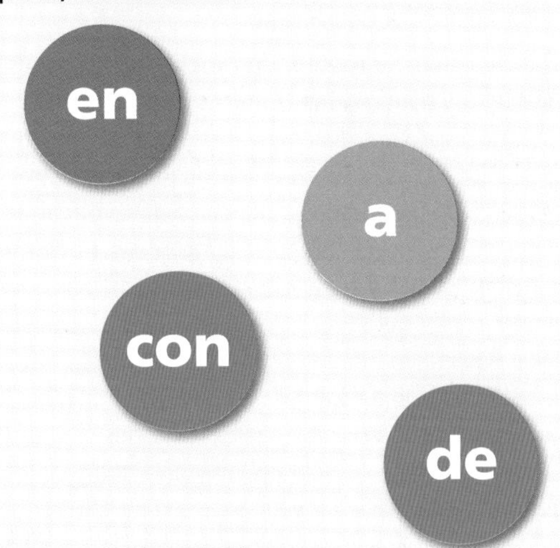

acercarse _ (algo)
asistir _ (algo)
invitar _ (algo / infinitivo)
negarse _ (infinitivo)
obligar _ (infinitivo)

insistir _ (algo / infinitivo)
confiar _ (algo / infinitivo)
consistir _ (algo / infinitivo)
insistir _ (algo / infinitivo)
no reparar _ (algo)

LOS INTERCAMBIOS DE ESTUDIANTES

Así se habla

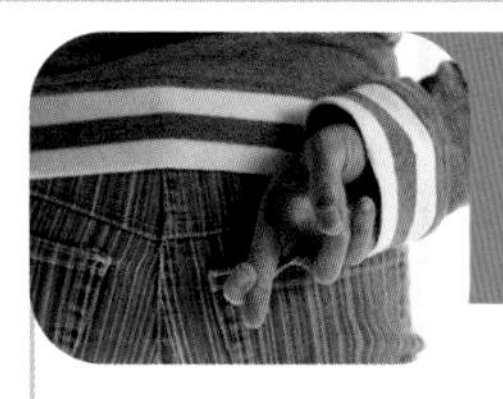

Historias de estudiantes.

1 Intenta descifrar el significado de estas expresiones.

Tener mucho cuento.

a. Saber muchas historias.
b. Ser hábil inventando excusas o historias falsas o exageradas.
c. Tener una gran biblioteca.

Estar con la misma historia.

a. No avanzar en una explicación.
b. Volver a la idea o situación que se repite siempre.
c. Estar con la misma persona una y otra vez.

Ser un empollón.

a. Alguien al que le gusta mucho estar sentado.
b. Alguien a quien le gusta pasar muchas horas estudiando, le gusta *hincar los codos.*
c. Alguien que tiene muchas ampollas en los pies.

Perder los papeles.

a. Perder el dominio de uno mismo.
b. Dejarse los apuntes olvidados en alguna parte.
c. Perder el pasaporte.

Existen otras expresiones relacionadas con estudiar.

2 Relaciona las expresiones con su significado.

1. Darle una lección (a alguien).
2. Leer entre líneas.
3. Explicarse como un libro abierto.
4. Hacer algo al pie de la letra.
5. Saber de buena tinta.
6. Poner los puntos sobre las íes.
7. Mantener a raya a alguien.

a. Saber seguro algo al tener una fuente fidedigna.
b. Tener a alguien o algo controlado.
c. Deducir de un discurso o acción un sentido no explícito.
d. Reproducir algo exactamente como se ha dicho.
e. Explicar algo claramente (se suele usar con ironía para hacerle ver a alguien que se explica mal).
f. Precisar algunos puntos que no habían quedado del todo claro.
g. Hacerle o decirle algo para escarmentarle o para que le sirva de ejemplo.

3 Sustituye las frases en negrita por las expresiones anteriores en la forma correcta.

Cuando entré en la universidad ya **sabía muy bien** que las cosas no iban a ser fáciles, pero no me imaginaba lo que me esperaba. Cuando mi hermano me hablaba de lo *interesantes* que eran los primeros días, yo ya **entendía en lo que decía** que algo extraño pasaba con los alumnos de primero y el primer día lo comprobé personalmente.

Mi hermano, que siempre **ha estudiado mucho**, entró con sus compañeros en nuestra clase de primero y, aunque en un principio **los tuvimos controlados** diciéndoles que esa era nuestra clase y que se marcharan, pronto nos dimos cuenta de que allí empezaba nuestro día de novatadas. Nos dijeron que saliéramos a la calle sin hacer mucho ruido y nosotros lo **hicimos tal y como lo dijeron**. Empezaron diciendo lo que querían, pero como **se explicaban muy mal**, no entendimos nada de nada. Al ver que no nos movíamos, nos dijeron que ya **hacíamos lo mismo de cada año**, que no nos preocupáramos, que solo era un ritual inofensivo. Una de mis compañeras **se puso histérica**, y empezó a llorar y a gritar, pero uno de los veteranos dijo que **estaba fingiendo muy bien**, que todo el mundo sabía que era una tontería, así que le **explicó muy claramente** lo que pasaba y le dijo que nadie estaba obligado a estar allí. Así que, en un minuto, dejó de llorar y empezamos el ritual: nos presentamos cantando, nos pintaron las caras, nos hicieron bailar cogidos todos de las manos… y un montón de cosas más. Al final fue muy divertido y conocí a mucha gente nueva. Fuimos **un buen ejemplo** al mostrarles a los veteranos que no solo ellos tienen sentido del humor.

Da tu opinión

¿Existen las novatadas en tu país? ¿En qué ámbito se dan? ¿Cómo son?

LOS INTERCAMBIOS DE ESTUDIANTES

En cada país el sistema universitario es diferente. Sin embargo, con la globalización, hay un intento de homogeneizar todos los espacios de estudios superiores en un mismo sistema. ¿Cómo debería ser esa educación superior común?

Exprésate

1. **Primero vamos a reflexionar sobre cómo funciona la universidad en tu país. Piensa en estas ideas.**
   - Tipos de universidades (privadas, públicas...).
   - La forma de ingreso en la universidad (solicitud de ingreso, pruebas, notas de corte...).
   - Sistema de matriculación (presencial, carta de solicitud, Internet...).
   - El precio de las carreras.
   - El tipo de becas y cómo conseguirlas.
   - Tipo de enseñanza (presencial, virtual...).
   - Sistema de evaluación (exámenes parciales, exámenes finales, evaluación continua, revisión de exámenes...).
   - Posibilidad de prácticas.
   - Convalidaciones, cursos puente...

2. **Entre todos, elegimos los mejores aspectos de nuestros sistemas educativos.**

3. **Ahora vamos a discutir sobre las siguientes ideas y, para ello, es necesario agruparse de tres en tres. Algunos grupos deberán buscar puntos a favor de estas afirmaciones y otros en contra. Más tarde debatiremos con el resto de los compañeros.**
   - Los exámenes no deberían ser obligatorios.
   - Los exámenes tipo test son mejores que los exámenes para desarrollar.
   - En las clases de idiomas no debería enseñarse gramática, solo cómo hablar.
   - La asistencia a clase no debería ser obligatoria.
   - Los profesores no deberían poner nunca deberes.
   - Los uniformes escolares (incluso en las universidades) deberían ser obligatorios.
   - Los problemas de indisciplina en las aulas se solucionan con castigos.

4. **Por último, imagina que eres el próximo jefe de estudios del centro donde estudias español y te proponen diseñar cómo será el próximo curso.**

   Piensa en:
   - Lugar en el que se impartirá la clase y medios.
   - Horario.
   - Sanción para los que lleguen tarde.
   - Reglas de comportamiento.
   - Algo que nunca faltará en la clase.
   - Premio para los mejores estudiantes.

PREPÁRATE PARA ESTE TEMA

Para trabajar con este tema, revisa el léxico, comprueba las palabras que conoces, aprende las nuevas y realiza las actividades.

Profesores y alumnos

la asociación de profesores / (antiguos) alumnos
el / la bibliotecario/a
el / la compañero/a de clase
el / la catedrático/a
el / la conferenciante
el / la delegado/a de curso
el / la director/-a de tesis
el / la jefe/a de estudios
el / la logopeda
el / la maestro/a
el / la miembro de la AMPA
el / la monitor/-a
el / la profesor/-a de apoyo
el / la profesor/-a interino/a
el / la rector/-a
el / la tutor/-a
el / la universitario/a

1 Ordena estos puestos. catedrático maestro monitor profesor de apoyo rector tutor

El sistema educativo y las asignaturas

Arte
la asignatura obligatoria / común / optativa
la beca
ciencias o letras
Ciencias Naturales
la clase teórica / práctica
la conferencia
el curso intensivo
Derecho
Educación Física
Educación Plástica
la formación continua
Historia y Geografía
Idioma
Lengua
Literatura
Medicina
Matemáticas
la matrícula
Química
la rama
el seminario
solicitar / recibir una beca
Tecnología

Instrumentos y material de aprendizaje

los apuntes
la balanza
el bloc de dibujo
la calculadora
la cartulina
el compás
el chip
el embudo
la enciclopedia
la grapadora
la impresora
la lámina de cuadros
el manual
el microscopio
la paleta
las pinzas
la probeta
el proyector
la redacción
el teclado
las témperas
el trabajo de campo
el tubo de ensayo

2 Relaciona los instrumentos y el material con las asignaturas en que se utilizan.

Expresiones con los estudios y las asignaturas

darle una lección (a alguien)
dársele a alguien bien / mal algo
explicarse como un libro abierto
hacer algo al pie de la letra
hacer la pelota
leer entre líneas
quedarse en blanco
ser un empollón
ser un hueso
ser una maría
tener manía a alguien
tener mucho cuento

PREPÁRATE PARA ESTE TEMA

Títulos universitarios

Administración y Dirección de Empresas
Arquitectura
Arquitectura Naval
Biología
Bioquímica
Ciencia Política y Administración Pública
Ciencias Ambientales
Ciencias de la Actividad Física y del Deporte
Ciencias de la Alimentación
Derecho
Economía
Economía y Finanzas
Educación Infantil / Primaria / Social
Enfermería
Estudios de Asia y África, Árabe, Chino y Japonés
Estudios Hispánicos: Lengua Española y sus Literaturas
Filologías
Filosofía
Física
Fisioterapia
Geografía y Ordenación del Territorio
Historia
Historia del Arte
Historia y Ciencias de la Música
Ingeniería Aeroespacial
Ingeniería Agrícola / Agroambiental / Alimentaria
Ingeniería Civil
Ingeniería de Computadores
Ingeniería de los Recursos Energéticos, Combustibles y Explosivos
Ingeniería de Sistemas de Telecomunicación
Ingeniería de Sonido e Imagen
Ingeniería de Tecnologías y Servicios de Telecomunicación
Ingeniería Eléctrica
Ingeniería en Diseño Industrial y Desarrollo del Producto
Ingeniería Forestal
Ingeniería Geológica
Ingeniería Informática
Ingeniería Marítima
Ingeniería Mecánica
Ingeniería Química
Ingeniería Telemática
Lenguas Modernas, Cultura y Comunicación
Matemáticas
Medicina
Nutrición Humana y Dietética
Psicología
Química
Terapia Ocupacional
Traducción e Interpretación
Turismo

3 Organiza las titulaciones según los siguientes campos.

Artes y Humanidades:	Ciencias:	Ciencias de la Salud:	Ciencias Sociales y Jurídicas:	Ingeniería y Arquitectura:

4 Si pudieras ahora estudiar una carrera nueva, ¿cuál elegirías? ¿Por qué?

Piensa en una de estas situaciones, escoge la que más se adecua a ti y escribe el texto que se propone.

- Tienes que darle un consejo profesional a una persona más joven que tú, un familiar o el hijo de un amigo. Esta persona no sabe qué dirección tomar en sus estudios que le prepare para su profesión futura. Elige una de las carreras universitarias que te parezca que tiene más salidas profesionales, mándale un correo electrónico en el que intentas convencerle de tu idea.
- Imagina cuál sería el anuncio de trabajo que te gustaría leer y que más se adapta a tu formación. Escribe el anuncio. No olvides detallar en los requisitos todos los aspectos de tu formación.
- Te vas a presentar a una entrevista laboral. Imagina el puesto. Redacta el apartado de títulos y formación académica de tu currículum. Prepárate también a tu entrevista, escribiendo el guion de lo que vas a decir.

Lee el siguiente texto y responde a las preguntas.

TIPOS DE ESTUDIANTES UNIVERSITARIOS

Haciendo un pormenorizado trabajo de campo, se podrían extraer algunos personajes que podemos encontrarnos en cualquier universidad de España, del mundo, ¡o incluso del universo!

1. **El estudiante novato:** El primer tipo de persona que nos encontramos en la universidad, más que nada, porque somos nosotros mismos, es el estudiante novato. Suele durar el primer mes, a lo sumo, el primer cuatrimestre. Al novato lo reconoceréis rápidamente por su mirada ausente al infinito, con un papel en la mano, buscando su aula y preguntando a la gente. (5)

2. **El empollón:** Este es el alumno con el que coincides el primer año en clase y ya no lo ves más... ¡En tu vida! No sabe que la universidad tiene un bar, y claro, no lo frecuenta. Va de la clase a la biblioteca, de la biblioteca a la clase y en fin, él aprobará y tú, no. ¡Las cosas que tiene la vida!

3. **El que juega con el móvil en clase:** Y/o lee el periódico. Es un caso extraño de futuro repetidor. En vez de irse al bar a hacer amigos, el chico se queda en clase leyendo el diario o jugando con el móvil. O ambas cosas a la vez, que es bastante complicado. Los profes le recomiendan el bar, y con razón, yo prefiero mil veces el bar, o mi casa, que ponerme a jugar «a la serpiente» en el móvil. (10)

4. **El dibujante:** Este es el típico alumno que en vez de atender, hace auténticas clases de dibujo. Sabe por qué página van del libro gracias a las páginas cuyos **bordes** están dibujados, las que no, o bien no fue a clase, o es que aún no han llegado a esa parte del temario. (15)

5. **El que no calla ni debajo del agua:** Este es el personaje que va a clase para hablar. A nadie se le ocurre hablar cuando está en clase, o por lo menos, no hacerlo como esta persona que hace auténticos monólogos de su vida en plena explicación del profesor. Suele ser contestado por los compañeros atentos con un claro «schnt». El mismo sonido que suena por toda la clase cuando el profesor borra algo que ha escrito hace momentos y todo el mundo estaba copiado: «schnt». (20)

6. **El que llega tarde:** Siempre, en toda clase, hay un alumno que llega tarde, y además suele ser el mismo. **Coincides con** él en clases a horas distintas, y siempre llega media hora tarde. Y piensas, ¿qué hace este «tío»? Es que si llega pronto, ¿no tiene emoción?, ¿le entran ganas de ir al baño siempre justo antes de la clase?, ¿tiene un tic para llegar con la clase empezada? No se sabe. Incluso después de los descansos, tiende a entrar el último, **para no perder la costumbre**. (25)

7. **El chafardero:** Esta es la persona que se sienta tres o cuatro asientos al lado del personaje cinco; es decir, del monologuista. Siempre va perdido en la conversación, y también en la explicación del profesor, ni atiende a uno ni a otro, porque quiere estar en todos lados. Claro, es un chafardero. Así que de vez en cuando se oye un: «¿Qué?». Y al cabo de un rato, cuatro palabras más del monologuista, y tres sillas más lejos: «¿Qué?». De vez en cuando dice: «¿Cómo?», para variar. (30)

8. **El preguntón:** Este es como el chafardero, pero preguntándole al profe. Suele ser famoso porque pregunta tonterías y siempre cosas que debería saber. **El colmo de** un preguntón **es** que, a un profe después de explicar la teoría más difícil, **se le ocurra** decir: «¿Alguien tiene una pregunta?» Y salte el preguntón: «Sí, por favor, ¿cómo se llama? Que no me acuerdo»... Y luego **salte** el chafardero: «¿Qué? Sí, ¿y qué edad tiene? Es que tengo curiosidad»... (35)

9. **El pelota:** Es aquel que da la razón al profe en todo, se sienta en las primeras filas, le sonríe, le ayuda a cerrar la puerta, a poner transparencias, le contesta a las preguntas complacientemente, le deja un boli si es necesario, incluso es capaz de **acuchillar** al que se le adelante... En fin, **es una persona muy maja** y muy querida entre sus compañeros en los descansos... (40)

10. **El que se duerme:** Y para terminar, el que se duerme. Es ese que viene a clase, escucha dos o tres palabras del profe y duerme. Además, profundamente. Algunos incluso **roncan** en mitad de clase y se ha visto al profesor hacer ruiditos para que deje de roncar, pero nada: el «tío», **a pierna suelta**.

1 En el texto aparecen algunos nombres de estudiantes que se utilizan en la jerga estudiantil. ¿Podrías enlazarlos con su sinónimo?

1. El novato
2. El empollón
3. El que juega con el móvil en clase
4. El dibujante
5. El que no calla ni debajo del agua
6. El que llega tarde
7. El chafardero
8. El preguntón
9. El pelota
10. El que se duerme

a. El dormilón
b. El charlatán
c. El ilustrador
d. El nuevo
e. El estudioso
f. El curioso
g. El tardón
h. El adulador
i. El cotilla
j. El moviladicto

2 Las palabras subrayadas del texto pertenecen al lenguaje utilizado por los estudiantes. Únelas con su definición.

Cuatrimestre (párrafo 1)
Aula (párrafo 1)
Repetidor (párrafo 3)
Atender (párrafo 4)
Temario (párrafo 4)
Primeras filas (párrafo 9)
Transparencias (párrafo 9)

1. Persona que vuelve a cursar un mismo curso por no haber aprobado.
2. Periodo de cuatro meses en los que suele dividirse un año académico.
3. Diapositivas.
4. Lugar en el que se imparte una clase.
5. Conjunto de temas en los que se divide una asignatura.
6. Lo más cercano al centro de atención (en este caso el profesor).
7. Prestar atención.

3 En el texto aparecen señaladas en verde algunas expresiones. Según el contexto, elige la opción adecuada para conocer cuál es su significado.

Borde (párrafo 4)
a. Margen
b. Maleducado
c. Centro

Acuchillar (párrafo 9)
a. Ponerse de rodillas
b. Clavar un cuchillo
c. Dar un achuchón, un abrazo

Roncar (párrafo 10)
a. Producir sonidos cuando duermes
b. Caerse saliva cuando duermes
c. Estirarse cuando duermes

4 En el texto aparecen señaladas en azul algunas expresiones. Únelas con su definición.

Coincidir con (alguien en un lugar)
Para no perder la costumbre
Ser el colmo de (algo)
Ocurrírsele (algo a alguien)
Saltar (por algo)
Ser una persona maja
(Dormir) **a pierna suelta**

1. Encontrarte con una persona en un lugar sin saber que va a estar allí.
2. Ser una persona que te cae bien, que es simpática.
3. Dormir muy profundamente.
4. Sentir la repentina necesidad de hablar para decir algo y hacerlo.
5. Venir de pronto una idea a la mente.
6. Ser lo máximo de una situación negativa que ya no se puede superar.
7. Algo que se ha convertido en hábito o costumbre (expresión irónica).

5 Para hablar:

- ¿Te has encontrado alguna vez con alguno de estos estudiantes?, ¿cuáles te son más simpáticos y cuáles más antipáticos?
- ¿Conoces a otros estudiantes típicos que no aparezcan en la lectura? Defínelos.
- ¿Con cuál de ellos te sientes más reflejado o más cercano?

TALLER DE ESCRITURA Tema 3

EL CÓMIC

La historieta gráfica o cómic es la narración de una historia a través de una sucesión de ilustraciones que se completan con un texto escrito. También hay historietas mudas, sin texto.

El autor de un cómic organiza la historia que quiere contar en una serie de espacios o recuadros llamados *viñetas*.

http://www.phdcomics.com/comics/archive.php?comicid=4

El texto escrito suele ir en un globo o bocadillo que sirve para integrar en la viñeta el discurso o pensamiento de los personajes y el texto del narrador.
La forma de los bocadillos depende de la intencionalidad del contenido.

Es habitual encontrar onomatopeyas para imitar sonidos o dibujos para representar ideas.

¡BANG! disparo

¡GRRRR! enfado

¡@#! insulto

- El lenguaje que se utiliza se caracteriza por ser coloquial. En él encontramos:
  - Titubeos (*¡Ca... caramba!*).
  - Alargamientos de palabras (*¡Socorrooo!*).
  - Frases interrumpidas (*Y, rápidamente...*).
  - Frases cortas, exclamaciones, interrogaciones... (*¡Date prisa!*).
  - Expresiones populares (*¡Córcholis! ¡Hola, chato!*).
  - Reproducción de sonidos, ruidos, golpes... (*¡Zaaass! ¡Bang! ¡Buaaa!*).
  - Sustitución de las palabras por signos (?, !!, *).

- También suelen aparecer elementos humorísticos:
  - Expresiones (*Es un empollón*).
  - Comparaciones (*Es lento como una tortuga*).
  - Situaciones contradictorias (*Toma querido, aquí tengo un «regalito» para ti: un suspenso*).
  - Ironías (*Con estas notas irás lejos...*).
  - Hipérboles (*No quiero que pares de estudiar hasta que se te caigan los ojos*).

- Algunas expresiones onomatopéyicas cambian de lengua a lengua. Observa las siguientes y piensa una situación adecuada para ellas. Luego comenta si son iguales en tu lengua.

- ¿Podrías continuar la historia del anterior cómic? Escribe las intervenciones de los personajes un mes más tarde o crea ahora tu propio cómic de la clase.

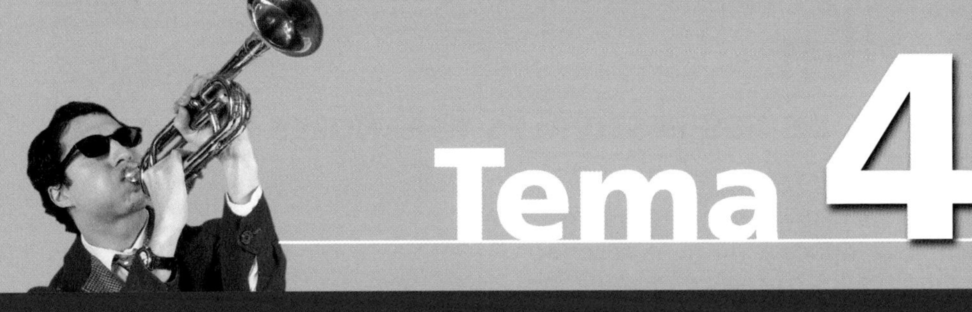

Tema 4

LA MÚSICA HISPANA

La música es el canto con el que se expresa una cultura, es el recitado de sus historias, su idiosincrasia, es la expresión de sus sueños, de su alegría y también de sus lamentos. Hunde sus raíces en la memoria histórica más profunda, pero es actual pues sigue viva. Merece todo el respeto. Acercarse a la música de una sociedad es entrar por la puerta más alegre de su forma de ser. Pero la música también rompe barreras.

- **Infórmate:** Los festivales con solera
- **Reflexiona y practica:** *Aunque* con indicativo y subjuntivo
- **Así se habla:** Comparaciones populares hechas
- **Tertulia:** Los derechos de autor y la piratería
- **Taller de lectura:** Entrevista con Juanes
- **Taller de escritura:** La descripción

¿Conoces la música latina e hispana? ¿Te gusta? ¿Sabes cuáles son sus ritmos y sus compases? Lee los nombres de los diferentes estilos. ¿Qué sabes de ellos? Asócialos a uno de los países. ¿Con qué instrumentos se interpretan?

andina · la bachata · la chacarera · el corrido · la cueca · la cumbia · el flamenco · el mambo · la muñeira · el tango

LA MÚSICA HISPANA

Infórmate

A ALGUNOS DE LOS FESTIVALES ESPAÑOLES MÁS ANTIGUOS

Estos son los festivales de música en España más antiguos y, quizá, más conocidos. Observa los carteles e imagina qué tipo de música puedes escuchar en ellos.

B SEIS FESTIVALES PARA SEIS TIPOS DE MÚSICA

5 Escucha el programa de radio e infórmate del tipo de música de cada festival. Luego, marca la opción correcta. Por último, responde a las tres preguntas.

- Festival Viña Rock: el festival dura una semana / menos de una semana.
- Festival de Ortigueira: hay un concurso de gaitas / un desfile de bandas de gaitas.
- Festival Latino Villa de Teror: participan artistas de ámbito nacional / internacional.
- Jazzaldia: todas las entradas son gratuitas / solo algunas entradas son gratuitas.
- Festival Internacional de Cante de las Minas: se celebra un solo concurso / se celebran varios concursos.
- Festival de Pollença: todas las actuaciones son de música clásica / variadas.

1. ¿Qué festivales tienen actuaciones gratuitas?
2. ¿Cuál se celebra exclusivamente en un edificio histórico?
3. ¿Cuál tiene además un mercadillo?

C CINCO FIGURAS DE LA MÚSICA ESPAÑOLA

Estos son cinco de los mayores artistas de la música en España. Relaciónalos con su reseña musical.

1. Manuel de Falla

2. Jesús López Cobos

3. Paco de Lucía

Infórmate

4. Orfeón Donostiarra

5. Montserrat Caballé

Su verdadero nombre es Francisco Sánchez Gómez. Nació en Algeciras en 1947. Aunque la práctica totalidad de la obra de este guitarrista se desarrolla en el flamenco, ha grabado algunos trabajos en otros estilos, como la fusión de flamenco-*jazz*. Está considerado uno de los mejores maestros de la guitarra de todos los tiempos. Algo muy peculiar de este gran guitarrista es que no sabe solfeo.

Quien introdujo en el mundo de la música a este gran compositor español fue su madre, pero no fue hasta 1890 cuando empezó a estudiarla en un conservatorio. Durante esa época, compuso diversas zarzuelas que no tuvieron demasiado éxito. Después de vivir en Europa, volvió a España donde compuso sus obras más conocidas: *El amor brujo*, *El sombrero de tres picos* y *El retablo de maese Pedro*. Murió en Argentina en 1946.

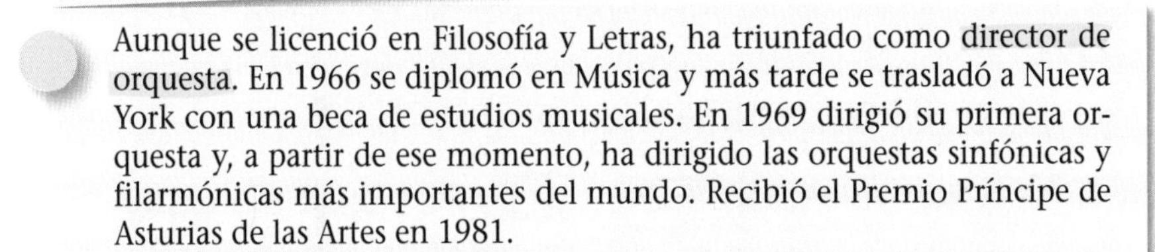

Aunque se licenció en Filosofía y Letras, ha triunfado como director de orquesta. En 1966 se diplomó en Música y más tarde se trasladó a Nueva York con una beca de estudios musicales. En 1969 dirigió su primera orquesta y, a partir de ese momento, ha dirigido las orquestas sinfónicas y filarmónicas más importantes del mundo. Recibió el Premio Príncipe de Asturias de las Artes en 1981.

Centenaria institución coral fundada el 21 de enero de 1897 en la ciudad de San Sebastián. Cuenta con un extenso palmarés de premios y galardones que la avalan como uno de los coros más importantes del mundo.

Cantante de ópera reconocida internacionalmente. Nació en Barcelona en 1933 y desde los 12 años empezó a estudiar música. No solo ha interpretado a numerosos personajes operísticos, sino que también ha sido la solista en numerosas grabaciones de canciones populares españolas. Su incursión en la música *rock* fue cantando a dúo con Freddie Mercury el himno de los Juegos Olímpicos de Barcelona 92. En la actualidad es embajadora de la Unesco.

Da tu opinión

¿Cuáles son tus figuras musicales favoritas?

Haz una reseña de una figura de la música de tu país.

D PARA SABER DE MÚSICA

Estos son algunos conceptos básicos sobre la música. Identifica las palabras marcadas en los textos anteriores con las definiciones.

- Conjunto de personas que cantan simultáneamente una pieza concertada.
- Músico que toca la guitarra.
- Cantar dos personas conjuntamente.
- Persona que dirige una orquesta.
- Género musical escénico y con final feliz en el que alternativamente se habla y se canta.
- Acción de cantar diciendo el nombre de las notas y siguiendo el compás.
- Canción emblemática para una colectividad, que la identifica y une.
- Persona cuya profesión es cantar.
- Lugar en el que se enseña música.
- Persona que interpreta sola una pieza musical.
- Unión de dos estilos.
- Persona que escribe música.

LA MÚSICA HISPANA

Reflexiona y practica

1 *Aunque*

Muchas veces queremos mostrar una dificultad o una objeción frente a algo que finalmente no impide que se cumpla la acción. Para ello utilizamos expresiones como **aunque, a pesar de que, por más que...**

Aunque se licenció en Filosofía y Letras, ha triunfado como director de orquesta.

- Si hablamos de algo que sabemos seguro y queremos hacer una objeción, utilizamos: ***aunque* + presente de indicativo / futuro.**
  Aunque es un gran cantante, es una persona horrible. / Aunque habrá tres conciertos este año, no podré ir a ninguno.
- Si hablamos de algo que no sabemos con seguridad, utilizamos: ***aunque* + presente de subjuntivo.**
  Aunque sea buen cantante, que no lo sé, no es muy popular. / Aunque llueva mañana, actuará para sus fans.

Pero...

- Si retomamos una conversación y queremos indicar que no estamos de acuerdo con la objeción, usamos: ***aunque* + presente subjuntivo.**
  - *Pues yo creo que esta cantante va un poco de diva.*
  – *Aunque vaya de diva, es normal porque ha ganado un montón de premios.*
- Si lo que decimos no es conocido, sino que es imaginado o supuesto de manera muy poco real, usamos: ***aunque* + imperfecto de subjuntivo.**
  Aunque dejara de grabar discos, serían mi grupo favorito.

2 El imperfecto de subjuntivo

Observa y fíjate en el indefinido para formar el imperfecto de subjuntivo.

AR

Yo cant**ara** o cant**ase**
Tú cant**aras** o cant**ases**
Él cant**ara** o cant**ase**
Nos. cant**áramos** o cant**ásemos**
Vos. cant**arais** o cant**aseis**
Ellos cant**aran** o cant**asen**

ER

Yo com**iera** o com**iese**
Tú com**ieras** o com**ieses**
Él com**iera** o com**iese**
Nos. com**iéramos** o com**iésemos**
Vos. com**ierais** o com**ieseis**
Ellos com**ieran** o com**iesen**

IR

Yo viv**iera** o viv**iese**
Tú viv**ieras** o viv**ieses**
Él viv**iera** o viv**iese**
Nos. viv**iéramos** o viv**iésemos**
Vos. viv**ierais** o viv**ieseis**
Ellos viv**ieran** o viv**iesen**

Formas irregulares

Esta forma verbal sigue la irregularidad del indefinido plural. Completa las que faltan.

Indefinido	Imperfecto de subjuntivo
Anduvieron	anduvieran o anduviesen
Estuvieron	....
Tuvieron	....
Hubieron	....
Hicieron	....
Fueron	....
Pudieron	....
Pusieron	....
Quisieron	....
Supieron	....
Vinieron	....
Pidieron	....
Sintieron	....

3 ¿Por qué se usan estos tiempos?

Explica por qué aparecen estos tiempos verbales en las frases.

1. Aunque me *regalaran* las entradas, no iría a ese concierto.
2. ▸ Me han dicho que tu grupo favorito *empieza* una gira.
   ▸ Ya, pero aunque *empiece* una gira, no van a venir a España. ¡Qué lástima!
3. Aunque *tengo* algo de dinero ahorrado, no me llega para ir a ese macroconcierto de tres días.
4. Aunque *tenga* que ir en autobús hasta Madrid, yo no me pierdo su concierto.

LA MÚSICA HISPANA

4 Unas controvertidas afirmaciones

Un locutor de radio ha hecho unas controvertidas declaraciones en antena sobre diferentes estilos musicales. Muchos de sus oyentes no están de acuerdo con sus afirmaciones y quieren expresarlo. ¿Qué tiempo verbal usarán?

Pues sí, queridos oyentes, el mejor estilo musical de todos los tiempos es el *chill-out*. Este género relajante, combinado con otros géneros, hace de estos últimos unos estilos aceptables. Si analizamos, por ejemplo, la música disco, tiene unas letras con poca profundidad y un ritmo muy machacón. El *techno* es muy repetitivo, solo música de teclado una y otra vez; es demasiado simple. La música clásica es poco conocida y es aburrida, por eso no le gusta a nadie. La música rap no es música ni nada, los cantantes solo hablan rápido y diciendo palabrotas. Lo dicho, el mejor estilo es el *chill-out*, que le da un toque especial al resto.

Reflexiona y practica

Aunque la música disco .... letras sencillas, eso nos permite aprenderlas rápido y cantarlas mientras bailamos. Es mucho más divertido. Además, aunque ....

Aunque el *techno* .... algo repetitivo, tiene un ritmo marcado, ideal para bailar. Y aunque ....

Aunque el rap .... rápido, tenemos que buscar rimas y eso es muy difícil. No todo el mundo sabe hacerlo. Además, aunque ....

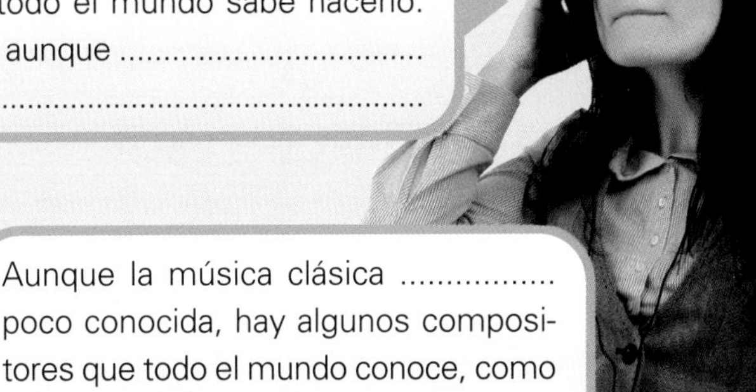

Aunque la música clásica .... poco conocida, hay algunos compositores que todo el mundo conoce, como Mozart, Beethoven, Bach, etc. Por otra parte, aunque ....

5 Anima a Fermín en su carrera como músico

Fermín quiere ser una estrella del *rock*. Aunque su representante le dice que va a tener una vida muy cómoda, siente algunos miedos al imaginar problemas. ¿Puedes ayudarle dándole algunas respuestas usando ***aunque* + imperfecto de subjuntivo**?

- He cambiado mucho mi imagen. Quizá no guste a todo el mundo.
- Si soy muy famoso, los *paparazzis* me perseguirán y puede que no tenga vida privada.
- Siempre estaré viajando. Podría tener problemas en algunos países si no conozco el idioma.
- En el mundo del *rock* hay muchas fiestas con mucho alcohol y chicas. Yo tendría que asistir a muchas de ellas y... ¡soy abstemio!

interactúa

Convence a tu compañero

Tu compañero te propone ir a un concierto esta noche, pero a ti no te apetece porque eres muy hogareño y hace frío. Inventad un diálogo en el que cada uno trate de convencer al otro.

TEMA 4

LA MÚSICA HISPANA

Así se habla

Expresiones coloquiales con comparaciones.

Para bailar bien hay que ser más ligero que una pluma.

1 ¿Qué crees que significa?

a. Escribir muy rápido.
b. Pesar poco.
c. Ser suave.

Existen muchas otras expresiones comparativas que tienen la misma estructura.

2 Relaciona las dos partes.

1. Ser más largo que un...	**a.** caballo del malo.
2. Ser más lento que el...	**b.** cabra.
3. Ser más viejo que...	**c.** Calleja.
4. Ser más feo que...	**d.** castañuelas.
5. Ser más listo que el...	**e.** día sin pan.
6. Ser más pesado que el...	**f.** espalda.
7. Estar (loco) como una...	**g.** flan.
8. Estar (nervioso) como un...	**h.** hambre.
9. Estar fuerte como un...	**i.** Matusalén.
10. Estar más contento que unas...	**j.** Picio.
11. Estar más solo que la...	**k.** plomo.
12. Tener más cuento que...	**l.** roble.
13. Tener más cara que...	**m.** tomate.
14. Ponerse más rojo que un...	**n.** una.

Saturnino Calleja fue un famoso editor y autor español de cuentos y libros para niños que vivió desde mediados del siglo XIX hasta principios del XX.

Matusalén es un personaje bíblico que se dice que vivió 969 años.

Picio fue un condenado a muerte que, cuando recibió el indulto, se puso tan nervioso que se le cayeron el pelo, las cejas y las pestañas, y le salieron tumores por la cara.

3 Imagina el significado de las expresiones.

¡Y hablando de comparar!

4 ¿Qué expresión utilizarías en estos contextos? Relaciona con las expresiones anteriores.

- Si estás sin compañía o si nadie te ayuda.
- Cuando parece que no pasa el tiempo y algo dura demasiado.
- Si has metido la pata y sientes mucha vergüenza.
- Si eres descarado y no te avergüenzas de actos no muy aceptables socialmente.
- Si tienes muchos años.
- Cuando alguien o algo tarda mucho en acabar.
- Si te disculpas de una acción contando una historia algo fantasiosa.
- Cuando tu fuerte no es precisamente el físico.
- Si estás muy feliz en un determinado momento.
- Alguien que hace cosas extrañas y alocadas.
- Si tienes una salud envidiable.
- Si tienes una mente muy ingeniosa.
- Cuando no puedes parar de temblar por nervios.
- Si alguien o algo resulta molesto y aburrido.

Da tu opinión

¿Existen expresiones parecidas en tu lengua?

Coloquialmente es común insertar comparaciones como estas o inventarse otras para «hacer gracia» o para resultar más expresivo. Inventa tú ahora alguna comparación.

LA MÚSICA HISPANA

Tertulia

Actualmente en el mundo de la creación artística hay un gran debate con respecto a los derechos de autor: no es legal, pero ¿es correcto hacer copias, descargarse programas de Internet o hacer un uso pirata aunque sea solo en el ámbito personal?

Exprésate

1. **Expresa tu opinión.**
   - ¿Cuándo fue la última vez que compraste un CD o un DVD?
   - ¿Consideras que el pirateo está cambiando el mundo de la música, del cine, de los videojuegos o de la literatura?
   - ¿Qué crees que se puede hacer para evitar el pirateo?
   - ¿Qué opinas sobre las siguientes afirmaciones?
     - La cultura debe ser accesible para todos. Los precios son abusivos.
     - El pirateo no perjudica a los autores, sino a las compañías. Los artistas viven de los conciertos y el pirateo les da publicidad.
     - El pirateo en Internet supone pérdidas importantísimas de dinero para muchas familias.
     - La propiedad intelectual debe respetarse y valorarse.
   - ¿Qué reglas existen en tu país para evitar el pirateo?

2. **Estás invitado a participar en una tertulia.**
   - Con tus compañeros, elige uno de los papeles. Uno tiene que ser el moderador. Tienes que argumentar tu postura según la información que te proporcionamos. Además, tienes que utilizar estas expresiones al menos una vez, asegúrate de que conoces bien las expresiones.

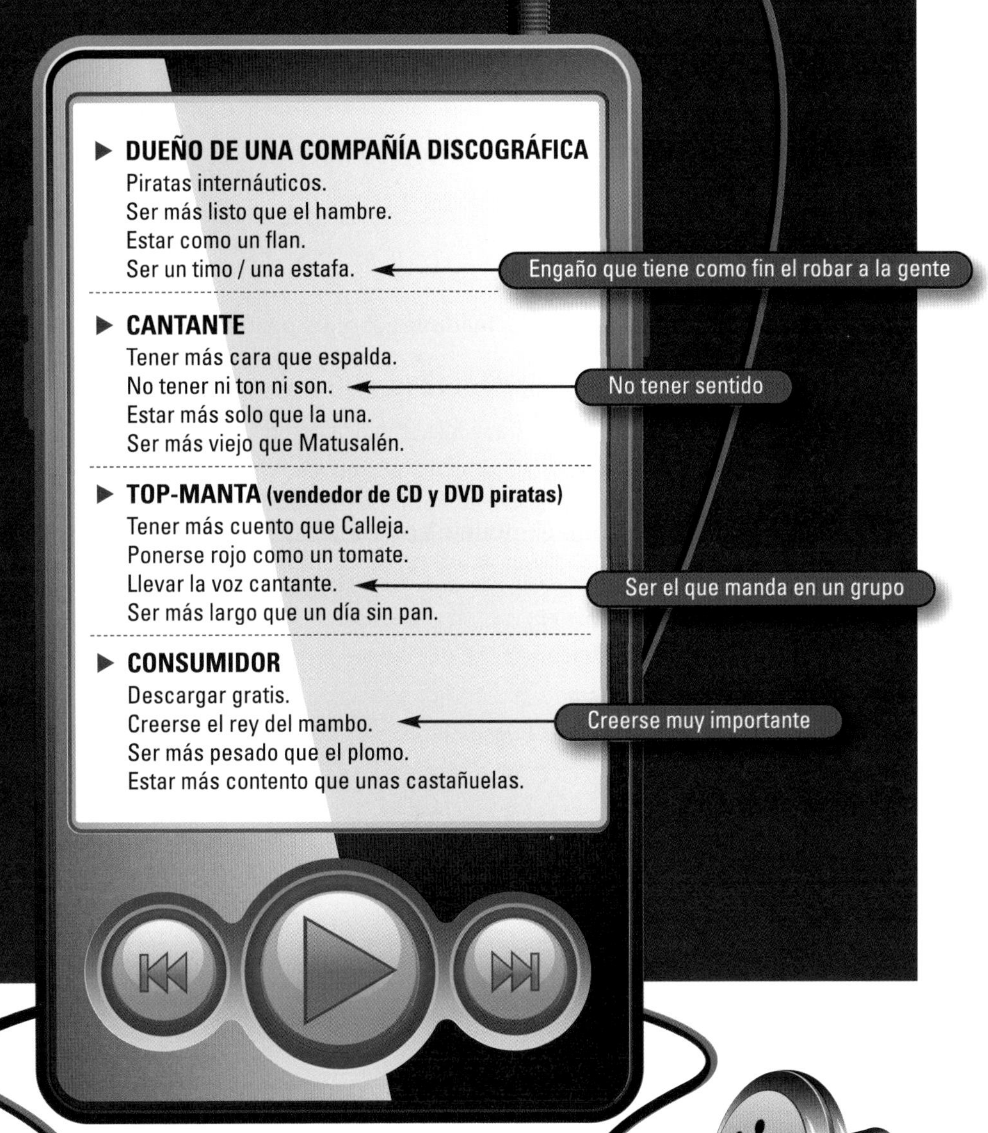

PREPÁRATE PARA ESTE TEMA

Para trabajar en este tema, revisa el léxico, comprueba las palabras que conoces, aprende las nuevas y realiza las actividades.

Profesionales de la música

el / la arreglista
el / la bailarín/-a
el cantante
la compañía de danza
el / la compositor/-a
el / la director/-a de orquesta
el / la gerente de una compañía discográfica
el grupo musical
el / la guitarrista
el / la intérprete
el / la letrista
el / la mánager
el / la músico/a
la orquesta
el / la percusionista
el / la pianista
el / la representante
el / la responsable del estudio de grabación
el / la teclista
el / la técnico/a de grabación
el / la violinista

Actividades artísticas y profesionales

bailar
cantar e interpretar
componer música
controlar y hacer la grabación
crear la coreografía
dirigir la grabación de los discos
dirigir la orquesta
escribir las letras de las canciones
hacer la promoción y el *marketing*
representar comercial y legalmente a los cantantes y grupos
tocar un instrumento

1 **Relaciona las actividades con los profesionales que las realizan.**

2 **Lee las descripciones e identifica al profesional.**

a. Es la persona que toca la percusión en los grupos y las orquestas.
b. Es la persona que compone música.

3 **Siguiendo el modelo anterior, describe lo que hacen estos profesionales.**

- Arreglista: ....
- Intérprete: ....
- Letrista: ....
- Pianista: ....
- Técnico de grabación: ....

Danza y música a escena

el baile
el *ballet*
la canción
el compás
el concierto
la escena
el festival
el himno
la letra (de una canción)
la melodía
la nota musical
la partitura
el ritmo

DICCIONARIO

Lugares para la música

el auditorio
el conservatorio de música
la discoteca
la sala de conciertos
el teatro de la ópera
el teatro de la zarzuela

Sonidos

la alarma
la banda sonora
el eco
la grabación
el grito
la onda sonora
el ruido
el rumor
el silbido
el silencio
la sirena
el sonido agudo / grave
el susurro
el timbre
el tono de voz
el volumen
la voz

4 Relaciona.

1. agudo
2. el grito
3. el ruido

a. el silencio
b. el susurro
c. grave

5 ¿Qué identificas con estos sonidos?

- Una alarma: ....
- El eco: ....
- Un grito: ....
- El rumor: ....
- Un silbido: ....
- El silencio: ....
- Una sirena: ....
- Un susurro: ....

6 Clasifica los sonidos anteriores en positivos y negativos. ¿Te encajan todos en esa clasificación?

....
....
....
....
....
....
....
....

Expresión escrita

Habla de tus gustos musicales y de tus aficiones. Elige una de las siguientes situaciones y escribe un texto para indicar tus gustos.

- Vas a pasar unos días en la ciudad de un conocido. En esa ciudad la oferta cultural es muy amplia y tu conocido quiere llevarte a diferentes conciertos. Escríbele un correo electrónico orientándole sobre tus aficiones.
- Eres nuevo en la ciudad y quieres conocer a personas con tus mismas aficiones y gustos. Escribe un anuncio.
- Quieres entrar en una escuela de música. Te exigen, para ello, que escribas una carta describiendo tus conocimientos musicales y tus intereses.

Lee el siguiente texto y responde a las preguntas.

Estoy con nuestro amigo Juanes para charlar un poco acerca de este nuevo disco *La vida es... un ratico*. ¿De dónde sale el título?

De una conversación con mi madre que me dice que no me preocupe por las cosas que se pueden arreglar, la muerte es lo único que no se puede solucionar. La vida es un ratico, por eso vívela con intensidad.

Pero es difícil entender eso cuando atraviesas una situación difícil, ¿no?

Es difícil, pero es parte del .... en el que todos estamos.

¿Cómo es este disco?

Es un disco muy positivo, pero que muestra la faceta de cara a cara con la realidad, con los miedos, con los problemas... Lo difícil que es aprender a amar y aceptar a otra persona.

1. ....

Yo diría que la música siempre ha sido una manera de contactarme con la realidad y sacar toda la energía que llevo dentro y plasmarla en una canción. .... es como un parto, es doloroso, pero al final es una satisfacción.

¿Cuándo compusiste las canciones de este álbum?

Me enamora es una de las primeras canciones que compuse para este álbum, hace como un año.

En este disco cuentas también con la colaboración de Andrés Calamaro...

Sí, era un sueño poder cantar con Andrés, así que le pedí a Gustavo Santaolalla si podía contactar con él y, finalmente, Andrés aceptó mi invitación y me dio una alegría grande porque no solo es una canción importante para el ...., sino también para mí. Habla de un .... muy delicado como es las minas antipersona en Colombia. Yo conocía la música de Calamaro desde Los Abuelos de la Nada, Los Rodríguez y como ...., pero nunca lo había visto en persona. Ahora hemos entablado una buena amistad y estamos todo el tiempo en contacto.

2. ....

Grabé 14, pero hice más de 30 canciones que quedaron afuera porque no terminaban de redondearse. Estas 14 están ahí porque reflejan lo que quería reflejar en este disco.

3. ....

Sigue siendo la evolución de lo que ando buscando hace años. Aquí se encuentra la música popular con bases de *rock*. En este álbum está mucho más claro.

Hacer un número uno es algo complicado, ¿no?

Hacer una canción es una tarea de compromiso, y si la gente la acepta y la recibe, pues ¡maravilloso!

¿A qué países todavía no llegaste y te gustaría llegar con tu música?

A los países árabes, me gustaría llegar ahí, pero seguir adelante con el trabajo en el resto de los países.

4. ....

Sí, mensualmente tenemos la reunión en Panamá y allí organizamos lo que estamos desarrollando con planes, conciertos y demás. Allí estamos con muchísimos artistas y empresarios. La música es mi herramienta para este trabajo, así que descarto el involucrarme en la política.

En unos días pondrán una estatua con tu imagen en tu pueblo, ¿cómo has tomado eso?

¡Es muy extraño! He visto fotos de la estatua y está muy bien. Voy a estar allí en la inauguración, pero me siento muy raro con esto.

5. ....

Hasta fin de año seguimos con .... de promoción y en febrero del año entrante comenzamos con las giras de *shows* en vivo por Estados Unidos, Europa y luego América Latina.

Te agradecemos el tiempo dedicado y te esperamos pronto de regreso con *La vida es... un ratico*.

Gracias a ustedes y ¡saludos!

1 Hemos sacado algunas de las preguntas de la entrevista. Colócalas en el lugar adecuado.

a. Musicalmente, ¿qué vamos a encontrar en este disco?
b. Conciertos en vivo, ¿para cuándo?
c. ¿La música, es una manera de hacer terapia?
d. ¿Cuántas canciones quedaron afuera de este disco?
e. Además de tu música, sigues con tu trabajo en la Fundación *ALAS, ¿no?

*Fundación ALAS: América Latina Acción Solidaria (asociación benéfica).

2 También hemos extraído algunas palabras. Sitúalas en el lugar adecuado y defínelas.

Álbum: ....
Aprendizaje: ....
Componer: ....
Giras: ....
Solista: ....
Tema: ....

3 Contesta a las preguntas:

a. ¿Por qué titula Juanes este disco así?
b. ¿Por qué quería cantar con Andrés Calamaro? ¿Lo conocía antes de grabar juntos?
c. ¿Se diferencia este disco de los otros que ha grabado?
d. ¿Qué hace además de componer, grabar y cantar canciones Juanes?
e. ¿Qué muestra de cariño ha recibido de su ciudad de nacimiento?
f. ¿Qué significa para Juanes la música? Resúmelo con tus propias palabras.

4 Di a qué se refieren, en el texto, las siguientes frases.

a. La música siempre ha sido una manera de conectarme con la realidad y sacar toda la energía que llevo dentro y plasmarla en una canción. (línea 12)
b. Así que le pedí a Gustavo Santaolalla si podía contactar con él. (línea 17)
c. A los países árabes, me gustaría llegar ahí, pero seguir adelante con el trabajo en el resto de los países. (línea 32)
d. He visto fotos de la estatua y está muy bien. Voy a estar allí en la inauguración, pero me siento muy raro con esto. (línea 38)

5 Para hablar:

- ¿Crees que los cantantes deben implicarse en cuestiones que van más allá de la música, como organizaciones benéficas, campañas políticas, etc.?
- ¿Consideras que la música puede hacer cambiar las conciencias? ¿Y el estado de ánimo de una persona?
- ¿Piensas que las ideas o actitudes de los cantantes influyen en el público?
- Si tuvieras que elegir a un músico ejemplar por sus acciones, ¿a quién elegirías?, ¿y al revés?

LA DESCRIPCIÓN

En la siguiente canción, el cantautor Joaquín Sabina describe cómo se siente sin la persona a la que ama. Léela y responde a las preguntas que hay a continuación.

Extraño como un pato en el Manzanares*,
torpe como un suicida sin vocación,
absurdo como un belga por soleares*,
vacío como una isla sin Robinson,
oscuro como un túnel sin tren expreso,
negro como los ángeles de Machín*,
febril como la carta de amor de un preso...,
Así estoy yo, así estoy yo, sin ti.

Perdido como un quinto* en día de permiso,
como un santo sin paraíso,
como el ojo del maniquí,
huraño* como un dandi con lamparones*,
como un barco sin polizones*...,
así estoy yo, sin ti.

Más triste que un torero
al otro lado del telón de acero*.
Así estoy yo, así estoy yo, así estoy yo, sin ti.

Vencido como un viejo que pierde al tute*,
lascivo como el beso del coronel,
furtivo como el Lute* cuando era el Lute,
inquieto como un párroco en un burdel,
errante como un taxi por el desierto,
quemado como el cielo de Chernóbil*,
solo como un poeta en el aeropuerto...,
así estoy yo, así estoy yo, sin ti.

Inútil como un sello por triplicado,
como el semen de los ahorcados,
como el libro del porvenir,
violento como un niño sin cumpleaños,
como el perfume del desengaño...,
así estoy yo, sin ti.

Más triste que un torero...

Amargo como el vino del exiliado,
como el domingo del jubilado,
como una boda por lo civil,
macabro como el vientre de los misiles,
como un pájaro en un desfile...,
así estoy yo, sin ti.

Más triste que un torero
al otro lado del telón de acero.
Así estoy yo, así estoy yo, sin ti.

NOTA: Puedes escuchar la canción cantada por Sabina en http://www.youtube.com

Manzanares: río que pasa por Madrid.
Soleares: cante y baile flamenco.
Antonio Machín: cantante cubano que en una canción preguntaba a los pintores de iglesias por qué no pintaban nunca ángeles negros.
Quinto: cuando en España el servicio militar era obligatorio, se llamaba así a los soldados rasos.
Huraño: poco sociable.
Lamparón: mancha en la ropa.
Polizón: persona que viaja clandestinamente, sin billete.
El telón de acero: la frontera entre los países del Este y los países capitalistas durante la Guerra Fría.
Tute: juego de cartas.
El Lute: famoso fugitivo español de los años 60.
Chernóbil: en esta planta ocurrió, en 1986, el mayor desastre nuclear de la historia.

- ¿Qué recurso destacas en esta canción? ¿Te parece que el cantante consigue expresar bien sus sentimientos de esta manera?
- ¿Qué frases te han parecido más originales?
- ¿Alguna vez te has sentido así?

Ahora vamos a hacer una canción propia siguiendo la misma técnica, y con la misma melodía. En grupos de cuatro, elige una de estas dos opciones. Puedes cambiar los adjetivos si quieres.

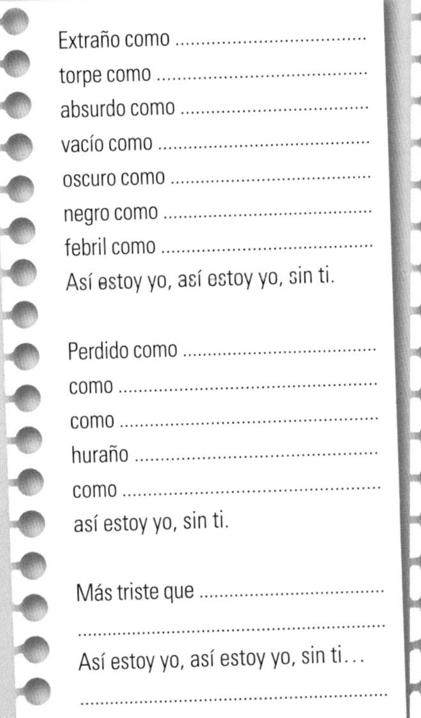
Extraño como ....
torpe como ....
absurdo como ....
vacío como ....
oscuro como ....
negro como ....
febril como ....
Así estoy yo, así estoy yo, sin ti.

Perdido como ....
como ....
como ....
huraño ....
como ....
así estoy yo, sin ti.

Más triste que ....
....
Así estoy yo, así estoy yo, sin ti...
....
....

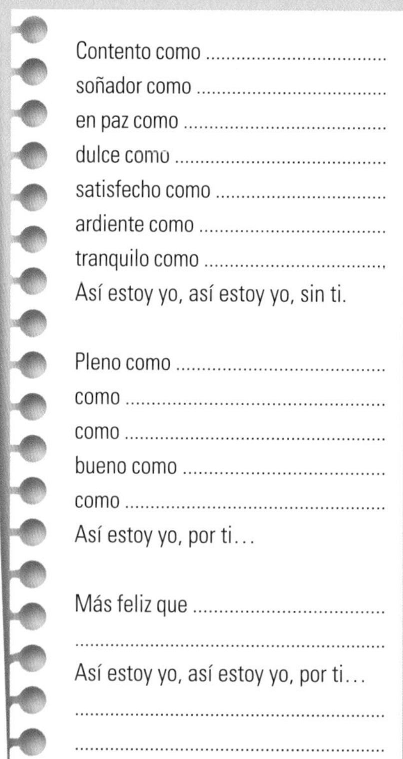
Contento como ....
soñador como ....
en paz como ....
dulce como ....
satisfecho como ....
ardiente como ....
tranquilo como ....
Así estoy yo, así estoy yo, sin ti.

Pleno como ....
como ....
como ....
bueno como ....
como ....
Así estoy yo, por ti...

Más feliz que ....
....
Así estoy yo, así estoy yo, por ti...
....

Tema 5

TENGO MIS DERECHOS

«Toda persona tiene derecho, individual o colectivamente, a promover y procurar la protección y realización de los derechos humanos y las libertades fundamentales en los planos nacional e internacional».

Declaración de la ONU sobre el Derecho y el Deber de los Individuos, los Grupos y las Instituciones (1998)

¿Qué opinas de la Declaración de la ONU? ¿Conoces bien tus derechos? ¿Quién crees que tiene la obligación de velar por los derechos de los ciudadanos? Lee los nombres de los hispanos premiados con el Nobel de la Paz. ¿Los conoces a todos? ¿Qué sabes de ellos? ¿Contra qué conflicto o situación injusta lucharon?

El Premio Nobel de la Paz se entrega todos los años «a la persona que ha hecho el mejor trabajo o la mayor cantidad de contribuciones para la fraternidad entre las naciones, la supresión o reducción de ejércitos así como la participación y promoción de congresos de paz».

1936	**Carlos Saavedra Lamas**	Argentina «Secretario de Estado; presidente, Sociedad de Naciones; mediador en el conflicto entre Paraguay y Bolivia».
1980	**Adolfo Pérez Esquivel**	Argentina «Líder de los derechos humanos [...] fundó organizaciones de derechos humanos no violentas para luchar contra la junta militar que gobernaba su país (Argentina)».
1982	**Alfonso García Robles**	México, compartido con la sueca Alva Murdal «[Por] su magnífico trabajo en las negociaciones de desarme de las Naciones Unidas, donde ambos han asumido roles cruciales y ganado reconocimiento internacional».
1987	**Óscar Arias Sánchez**	Costa Rica «Por su trabajo por la paz en Centroamérica, esfuerzos que condujeron al acuerdo firmado en Guatemala el 7 de agosto de este año».
1992	**Rigoberta Menchú Tum**	Guatemala «[Por] su trabajo en pro de la justicia social y de la reconciliación etno-cultural basado en el respeto de los derechos de las personas indígenas».

5 TEMA TENGO MIS DERECHOS

Infórmate

A LOS DEFENSORES DEL CIUDADANO

Aquí tienes a algunas personas que nos ayudan a defender nuestros derechos. Relaciónalos con la función que desempeñan.

○ Se encarga de atender las quejas y sugerencias del público y ayuda a que en la elaboración de los textos periodísticos se sigan las normas profesionales y éticas del medio, así como el cuidado de la lengua.

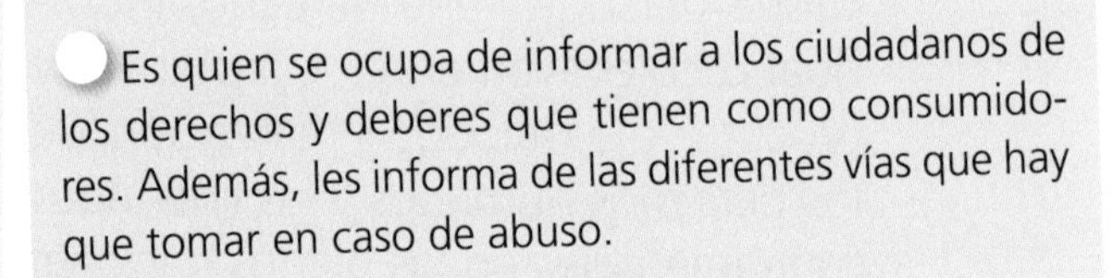

○ Es quien se ocupa de informar a los ciudadanos de los derechos y deberes que tienen como consumidores. Además, les informa de las diferentes vías que hay que tomar en caso de abuso.

○ Tiene como misión proteger los intereses y divulgar los derechos de los menores de edad. Así mismo elaborar estudios que permitan conocer la situación de los niños y adolescentes en la sociedad actual.

○ Es la persona encargada de representar los intereses de los ciudadanos ante abusos que pueda cometer la Administración o para dar respuesta inmediata a los de difícil solución por vía burocrática o judicial.

○ Vela por el derecho del ciudadano a tener una información plural, veraz e independiente y a un entretenimiento digno. También impulsa el autocontrol de los medios de comunicación para mejorar su programación.

B A CADA UNO SU RESPONSABILIDAD

1. Escucha ahora las siguientes audiciones y contesta a las preguntas.
   - **En la audición 1** ¿De qué se quejan los vecinos? ¿A quién han pedido ayuda? ¿Les ha solucionado el problema?
   - **En la audición 2** ¿Qué problema tiene cuando llega al aeropuerto? Finalmente, ¿qué ocurre?
   - **En la audición 3** ¿De qué trata la noticia que están mirando? ¿Por qué el niño lo explica a sus padres finalmente?
   - **En la audición 4** ¿Qué observa el hombre? ¿Por qué quiere escribirles?
   - **En la audición 5** ¿Qué acontecimiento va a tener lugar ese día? ¿Qué solución le ofrece su amigo?
2. Cada una de las 5 audiciones sería un tema que tiene que tratar uno de los defensores. ¿Puedes decir cuál sería en cada caso?

Da tu opinión

¿Qué instituciones hay en tu país para defender los derechos de los ciudadanos?

¿Has tenido que utilizar alguna vez alguna de ellas o conoces a alguien que lo haya hecho?

C UNA DEFENSORA INCANSABLE

MUJERES QUE HACEN LA HISTORIA - BREVES BIOGRAFÍAS

Mujeres: Las hubo tanto guerreras como científicas, aventureras como políticas,reinas, nobles, intelectuales, astrónomas, escritoras, o... simplemente esposas.

Siglo XX - Rigoberta Menchú

Rigoberta Menchú Tum (9 de enero de 1959, Guatemala) es una líder indígena guatemalteca defensora de los derechos humanos. Es Embajadora de Buena Voluntad de la Unesco y ganadora del Premio Nobel de la Paz y del Premio Príncipe de Asturias de Cooperación Internacional.

Rigoberta desciende de una familia de la antigua cultura maya-quiché. [1]. Sus padres y sus hermanos fueron asesinados por el ejército durante el período de represión contra los movimientos campesinos indígenas y la guerrilla en Guatemala.

Desde muy joven se involucró en las luchas reivindicativas de los pueblos indígenas y campesinos, lo que le valió persecución política y el exilio a México. [2] En 1988 regresó a Guatemala y fue detenida, aunque gracias a la ayuda del GAM (Grupo de Apoyo Mutuo - institución a favor de los derechos humanos en Guatemala) y a la presión de miles de estudiantes universitarios se hizo posible su liberación. Una vez liberada, viajó a Ginebra para participar en un grupo de trabajo de la ONU sobre poblaciones indígenas y así reivindicar y promocionar los derechos de estos pueblos.

En 1992 se convirtió en la primera indígena en recibir el Premio Nobel de la Paz, que le fue otorgado en reconocimiento a su trabajo por la justicia social y reconciliación etno-cultural basada en el respeto a los derechos de los indígenas. [3]. Con el dinero del Premio Nobel creó la *Fundación Vicente Menchú* que posteriormente tomó el nombre de *Fundación Rigoberta Menchú Tum*, de cuya institución es presidenta y a través de la cual ha apoyado a las poblaciones más necesitadas con proyectos de educación, infraestructura y de defensa a las víctimas de la discriminación y el racismo.

Pero los reconocimientos internacionales no acabaron ahí, puesto que seis años más tarde, fue galardonada con el Premio Príncipe de Asturias de Cooperación Internacional, junto con Fatiha Boudiaf, Fatana Ishaq Gailani, Somaly Mam, Emma Bonino, Graça Machel y Olayinka Koso-Thomas por su trabajo en defensa y dignificación de la mujer.

En 2007 se presentó como candidata presidencial de *Encuentro por Guatemala*. [4]. Su esperanza de ser electa y ser la primera mujer en ocupar el cargo en su país no se pudo hacer realidad. Defensora incansable del respeto de los derechos humanos y de todos los pueblos indígenas, sigue trabajando para resolver las carestías sociales y a pesar de su esfuerzo, en su propio país, no todos apoyan su labor.

Adaptado de http://mujeresquehacenlahistoria.blogspot.com y es.wikipedia.org/wiki/Rigoberta_Menchú

Completa el texto con estas partes extraídas del mismo y ponlas en el lugar adecuado.

a. Rigoberta resaltó la importancia de votar: «Votar es poder, por eso nosotros le pedimos a este pueblo que salga a votar, porque cuando le damos el voto a una institución o a un político, le damos nuestro poder».

b. Ella declaró al recibir el premio: «Soy hija de la miseria y la desigualdad social; soy un caso ilustrativo de marginación, por ser maya y mujer; he sobrevivido al genocidio y a la crueldad».

c. Ya en el año 1979 fue fundadora del Comité de Unidad Campesina -CUC- y de la Representación Unitaria de la Oposición Guatemalteca -RUOG-, de la que formó parte de su dirección hasta 1992.

d. Su padre fue un activista defensor de las tierras para los campesinos indígenas y su madre, una indígena experta en partos en las zonas rurales.

Derechos para todos

1. ¿Conoces a algún otro defensor de derechos? ¿Quién es y a quiénes defendió?
2. Uno de los artículos de la Declaración Universal de los Derechos Humanos dice: «Toda persona tiene los mismos derechos y libertades sin distinción de raza, color, sexo, idioma, religión, opinión política o de cualquier otra índole». ¿Consideras que en la actualidad siempre se cumple? ¿Sabes de algún grupo desfavorecido o favorecido por tener una de estas condiciones?

Reflexiona y practica

1 Construcciones temporales en futuro

Cuando hablamos del futuro, usamos el presente de subjuntivo seguido de un futuro u otro verbo con valor futuro (presente o imperativo).

Cuando les digamos qué pensamos, podremos cambiar la situación / podemos cambiar la situación / prepárate para los cambios.

TIEMPO GENERAL	▶ **Cuando** + presente de subjuntivo + futuro (u otro verbo con valor futuro: presente o imperativo). *Cuando sepa a quién dirigirme, escribiré una carta / escribo una carta / estate tranquilo.*
SUCESIÓN INMEDIATA	▶ **En cuanto** + presente de subjuntivo + futuro (u otro verbo con valor futuro: presente o imperativo). *En cuanto tengamos una respuesta, sabremos qué hacer / sabemos qué hacer / reaccionaremos.* ▶ **Tan pronto (como)** + presente de subjuntivo + futuro (u otro verbo con valor futuro: presente o imperativo). *Tan pronto sepa mis derechos, actuaré / actúo / prepárate para cualquier cosa.* ▶ **Apenas** + presente de subjuntivo + futuro (u otro verbo con valor futuro: presente o imperativo). *Apenas se entere, me ayudará / me ayuda / llámame.* ▶ **Nada más** + infinitivo + futuro (u otro verbo con valor de futuro). *Nada más conocer sus propuestas, le apoyaré / lo apoyo / apóyalo.*
SUCESIÓN	▶ **Al** + infinitivo + futuro. *Al escucharle, verás que es un gran defensor.*
SUCESIÓN HABITUAL	▶ **Siempre que** + presente de subjuntivo + futuro (u otro verbo con valor futuro: presente o imperativo). *Siempre que haya problemas, intentará encontrar una solución / intenta encontrar soluciones / házmelo saber.* ▶ **Cada vez que** + presente de subjuntivo + futuro (u otro verbo con valor futuro: presente o imperativo). *Cada vez que aparezca en público, lo verás defendiendo nuestros derechos / lo ves defendiendo nuestros derechos / pregúntale por nuestros derechos.*
LÍMITE FINAL	▶ **Hasta que** + presente de subjuntivo + futuro (u otro verbo con valor futuro: presente o imperativo). *Hasta que no haya un nuevo problema, no diremos nada / no decimos nada / no hables.* ▶ **Hasta** + infinitivo + futuro. *Hasta no tener nuevos problemas, no sacaremos de nuevo el tema.* * Si *hasta* aparece al principio de frase, suele ir seguido de negación, que se repite en la oración principal; pero si aparece después de la principal, no es necesario. *Hasta que no dejen de escribir así, no dejaré de protestar. Deberemos estar atentos, hasta que cambien de defensor del lector.*
LÍMITE INICIAL	▶ **Desde que** + presente de subjuntivo + futuro (u otro verbo con valor futuro: presente o imperativo). *Desde que tengamos las estadísticas en la mano hasta que podamos empezar a trabajar, deberás tener paciencia / debes tener paciencia / ten paciencia.*
SIMULTANEIDAD	▶ **Mientras** + presente de subjuntivo + futuro (u otro verbo con valor futuro: presente o imperativo). *Mientras estemos trabajando en ello, no podremos hablar con la prensa / no podemos hablar con la prensa / no hables con la prensa.*
ANTERIORIDAD	▶ **Antes de** + infinitivo + futuro (un mismo sujeto). *Antes de enviar la carta, buscaré el apoyo de más gente.* ▶ **Antes de que** + presente de subjuntivo + futuro (u otro verbo con valor futuro: presente o imperativo) (dos sujetos diferentes). *Antes de que envíe la carta, necesitaremos tener más apoyos / necesitamos tener más apoyos / búscame más apoyos.*
POSTERIORIDAD	▶ **Después de** + infinitivo + futuro (un mismo sujeto). *Después de tener su respuesta, actuaré.* ▶ **Después de que** + presente de subjuntivo + futuro (u otro verbo con valor futuro: presente o imperativo) (dos sujetos diferentes). *Después de que tenga una respuesta, yo y mis vecinos actuaremos.*

2 ¿Sabes qué es la OCU?

Lee las siguientes recomendaciones sobre los derechos de los viajeros y complétalas con el tiempo adecuado:

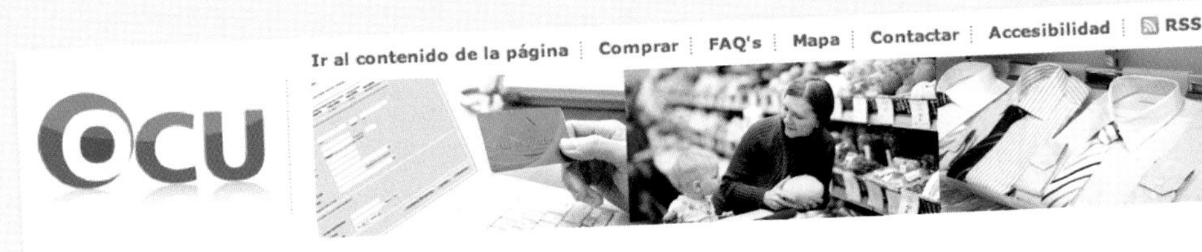

La Organización de Consumidores y Usuarios (OCU) es una asociación cuya misión es promover y defender los intereses de los consumidores, así como resolver sus problemas y ayudarles a ejercer sus derechos fundamentales.

¿Qué hacer en caso de cancelación de vuelo?

Cuando nos encontramos ante una situación como esta, es fácil que sintamos una gran indefensión. Hay muchos derechos que no siempre conoce el viajero y que nos harán sentirnos más fuertes ante estas grandes compañías. Ya sabes, en el futuro, cuando .... (producirse) una cancelación de un vuelo, porque este no salga del aeropuerto inicial o quede interrumpido durante el trayecto, ... (deber) saber que la compañía está incumpliendo su parte del contrato de transporte. Por lo tanto, cada vez que .... (sentirse, tú) perjudicado por la cancelación, ... (poder) reclamar.

Aquí tienes algunos de tus derechos:

Tienes derecho a la devolución del importe del billete en el plazo de siete días, incluida la parte del viaje que ya se haya realizado o la que te quede por realizar. Esta devolución .... (poder) pedirse después de que .... (demostrar, tú) que tu desplazamiento ya no es necesario (por ejemplo, después de que no .... (poder, tú) llegar a tiempo a la reunión a la que acudías).

También .... (tener, tú) derecho a reclamar un vuelo de vuelta, tan pronto como .... (interrumpirse) el viaje.

Otro de tus derechos es recibir comida, bebida, y alojamiento (en caso necesario) de parte de la compañía, antes de que .... (sentirse, tú) desfallecido. También .... (deber, ellos) proporcionarte el uso de un teléfono, fax, etc, siempre que lo .... (necesitar, tú).

El pasajero tiene derecho a recibir también indemnizaciones, que varían en función de la distancia del trayecto y el destino.

Sin embargo, la compañía no .... (deber) dar ninguna compensación económica cuando .... (demostrar) que la incidencia se debió a circunstancias excepcionales o cuando .... (informar) de la cancelación con un mínimo de dos semanas de antelación. Tampoco estarán obligados a compensarte económicamente al .... te (ofrecer) un transporte alternativo dentro de unos márgenes determinados sobre el horario previsto.

Reflexiona y practica

3 TUS DERECHOS CUANDO VIAJAS

Decide qué opción es la correcta.

a. Después de haber / que haya una cancelación de vuelo, deberás hacer una reclamación a la compañía aérea, pidiendo las hojas de reclamaciones.

b. Después de rellenar / que rellenemos una hoja de reclamaciones, deberemos entregar una copia en la oficina más cercana de la OCU.

c. Antes de dejar / que dejemos el aeropuerto, debemos asegurarnos de que un responsable de la compañía también ha firmado la hoja de reclamaciones.

d. Antes de entregar / que entregues la copia, la OCU te pedirá documentos que prueben la situación, como facturas, billetes de avión, etc. Asegúrate de llevarlos contigo.

TENGO MIS DERECHOS

Así se habla

Ser de armas tomar y otras expresiones.

1 Relaciona las dos partes.

1. Ser de armas tomar.
2. Apuntarse a un bombardeo.
3. Quedarle (a alguien) mucha guerra por dar.
4. Estar entre la espada y la pared.
5. Salirle (a alguien) el tiro por la culata.
6. Tirar con bala.

a. Encontrarse ante un gran dilema, sin saber qué elegir.
b. Cuando alguien acepta cualquier tipo de invitación para hacer cualquier cosa.
c. Hablar con mala intención para herir a alguien.
d. De carácter fuerte y sin miedo a enfrentarse a cualquiera.
e. Suceder algo al contrario de lo previsto.
f. Tener mucha vida por delante.

2 No solo puedes defenderte con armas, también puedes hacerlo con la ley. Aquí tienes algunas expresiones. Relaciónalas.

1. Ser de ley.
2. Imperar la ley del silencio.
3. Seguir la ley del mínimo esfuerzo.
4. Ser el abogado del diablo.
5. Ser ley de vida.

a. Ser algo normal.
b. Ser una persona honrada y noble.
c. Hacer lo mínimo indispensable.
d. Nadie se atreve a hablar por temor a represalias.
e. Persona que defiende una posición en la que no necesariamente cree.

3 Completa las frases con la expresión más apropiada.

- Un día u otro nuestros hijos se irán de casa. Es ....
- Yo con Pilar no me metería; es .... y puede incluso buscarte problemas con el jefe si cree que puedes molestarla.
- Desde que ha trascendido que quieren despedir a un montón de gente, en la oficina ....
- Aunque tiene 70 años, todavía ....
- Mi compañero de piso no hace nada: se levanta y se sienta en el sofá hasta que llega la hora de comer. Puedo afirmar que él sí ....
- Intenté ligar con ella y le envié unas flores, pero resulta que es alérgica y le entró un ataque nada más recibirlas. Ahora no me quiere ni ver. ....
- Oye, si quieres salir esta noche, no dudes en decírmelo. Ya sabes que yo ....
- Para hacerle ver lo difícil que sería decírselo a su jefe, empecé a defender todo lo contrario a lo que pienso. No me gusta nada ....
- Yo en Roberto confío plenamente, ...
- Me dijo unas cosas que me hicieron sentir fatal. La verdad es que, cuando se enfada, ...
- Si en Navidad voy a casa de mi madre, se enfada mi suegra y, si voy a su casa, se enfada mi madre. .... y no sé qué hacer.

Un diálogo informal

Escribe un pequeño diálogo para cada expresión y represéntalos delante de la clase. Tienen que adivinar de qué expresión se trata.

Da tu opinión

¿Existen expresiones parecidas en tu lengua?

Tertulia

Fíjate en estas expresiones. Se utilizan para reprochar, dar opinión, aconsejar buscando una reacción inmediata, buscar comprensión, comprometerse y tranquilizar. Indica la función de cada bloque de expresiones.

Exprésate

Me parece muy mal que + subjuntivo.
No está bien que + subjuntivo.
Está fatal + infinitivo.

¿A qué esperas para...?
¿No crees que deberías...?

No entiendo cómo ha podido...
No debería haber hecho...

Te aseguro que...
Me comprometo a...
De aquí en adelante...

No te pongas así...
Bueno, hablamos, ahora...

Debes entenderme...
No es fácil para mí, ya lo sabes...

Vamos a dividir la clase en cuatro grupos. Dos de ellos van a pertenecer a estas asociaciones, mientras que los otros dos grupos van a ser los defensores del pueblo. Cada uno va a tener que seguir las directrices que aparecen en su cuadro. Prepara previamente tu intervención para posteriormente pasar a debatir.

- Aparecido en prensa: «Prohibición total de ir desnudo en lugares públicos».
- Castigo por incumplimiento: cárcel.
- Conoces tus derechos y reclamas.

Has recibido muchas quejas de ciudadanos por los actos nudistas.

Debido a la tensión social, no puedes aceptar fácilmente las demandas del grupo nudista.

- Aparecido en prensa: «Los turistas deberán pagar un impuesto para la conservación de obras artísticas».
- Se aplicará un impuesto de 10 € a los visitantes en el momento en que se alojen en hoteles.
- Conoces tus derechos y reclamas.

Las visitas continuas de turistas deteriora enormemente lugares de interés histórico y artístico.

Debido a la grave situación de envejecimiento de estos lugares, no puedes aceptar fácilmente las demandas del grupo a favor de la cultura gratuita.

PREPÁRATE PARA ESTE TEMA

Para trabajar con este tema, revisa el léxico, comprueba las palabras que conoces, aprende las nuevas y realiza las actividades.

Ideología

la anarquía
anarquista
el centro
el comunismo
el partido de centro / de derechas / de izquierdas
el partido político
comunista
conservador
demócrata
la derecha
pertenecer a un partido político
progresista
republicano/a
el fascismo
la izquierda
liberal
el marxismo
socialdemócrata
el socialismo
socialista
verde

1 Organiza las diferentes ideologías de izquierda a derecha.

Políticos

el / la alcalde/-sa
el / la candidato/a
el cónsul
el dictador
el / la diplomático/a
el / la diputado/a
el electorado
el / la embajador/-a
el jefe de Estado
el / la líder
el / la ministro/a
el / la parlamentario/a
el / la presidente/a
el / la senador/-a
el / la vicepresidente/a

Actividades políticas

dar una rueda de prensa
estar afiliado a un partido político
estar en la oposición
gobernar
hacer coalición
hacer pactos

Propuestas

bajar los impuestos
defender
derechos civiles
economía de mercado
estado confesional
estado proteccionista
igualdad social
luchar contra...
presupuestos del Estado
reformas políticas
sociedad laica
subir los impuestos

2 Relaciona los contrarios.

a. Bajar los impuestos	**1.** Estado proteccionista
b. Defender...	**2.** Luchar contra...
c. Estado confesional	**3.** Sociedad laica
d. Economía de mercado	**4.** Subir los impuestos

Servicios sociales

la adaptación
apoyar
el / la asistente social
la ayuda
la colaboración
colaborar
la convivencia
convivir
la cooperación
cooperar
los derechos humanos
el desempleo
los discapacitados
los inmigrantes
la integración
integrarse
la marginación
los menores
la minoría étnica
el / la monitor/-a de actividades
las personas mayores
las personas sin recursos
el servicio social
el / la trabajador/-a social
el / la voluntario/a de una ONG

Protestar

el absentismo
ir a la huelga
ir a una manifestación
la protesta
el sindicato

3 ¿Qué opinas de las ONG? ¿Te gustaría colaborar con alguna? ¿Por qué?

Expresión escrita

En un debate académico, tienes que argumentar cuál es para ti el sistema político idóneo. Para ello, primero haz una lista de las ventajas y los inconvenientes de los distintos sistemas. Después, escribe una argumentación bien construida sobre el sistema político que consideras mejor.

TALLER DE LECTURA

Tema 5

Lee el siguiente texto y responde a las preguntas.

DERECHOS INDÍGENAS EN VENEZUELA: la Constitución de 1999

En Venezuela, en 1999 se creó una Constitución en la que se establecieron los derechos que los pueblos indígenas llevan valientemente demandando durante siglos. Esto implica un profundo cambio entre la sociedad ***criolla*** y estos pueblos. Reproducimos aquí textualmente algunos de estos derechos, tal y como aparecen en esta Constitución:

«**Artículo 119.** El Estado reconocerá la existencia de los pueblos y comunidades indígenas, su organización social, política y económica, sus culturas, usos y costumbres, idiomas y religiones, así como su hábitat y derechos originarios sobre las tierras que ***ancestral*** y tradicionalmente ocupan y que son necesarias para desarrollar y garantizar sus formas de vida. Corresponderá al Ejecutivo Nacional, con la participación de los pueblos indígenas, demarcar y garantizar el derecho a la propiedad colectiva de sus tierras, que serán inalienables, imprescriptibles, ***inembargables*** e ***intransferibles*** de acuerdo con lo establecido en esta Constitución y la ley.

Artículo 121. Los pueblos indígenas tienen derecho a mantener y desarrollar su identidad étnica y cultural, ***cosmovisión***, valores, espiritualidad y sus lugares sagrados y de culto. El Estado fomentará la valoración y difusión de las manifestaciones culturales de los pueblos indígenas, que tienen derecho a una educación propia y a un régimen educativo de carácter intercultural y bilingüe atendiendo a sus particularidades socioculturales, valores y tradiciones.

Artículo 122. Los pueblos indígenas tienen derecho a una salud integral que considere sus prácticas y culturas. El Estado reconocerá su medicina tradicional y las terapias complementarias, con sujeción a principios bioéticos.

Artículo 123. Los pueblos indígenas tienen derecho a mantener y promover sus propias prácticas económicas basadas en la ***reciprocidad***, la solidaridad y el intercambio; sus actividades productivas tradicionales, su participación en la economía nacional y a definir sus prioridades. Los pueblos indígenas tienen derecho a servicios de formación profesionales y a participar en la elaboración, ejecución y ***gestión*** de programas específicos de capacitación, servicios de asistencia técnica y financiera que fortalezcan sus actividades económicas en el marco del desarrollo local sustentable. El Estado garantizará a los trabajadores y trabajadoras pertenecientes a los pueblos indígenas el goce de los derechos que confiere la legislación laboral.

Artículo 124. Se garantiza y protege la propiedad intelectual colectiva de los conocimientos, tecnologías e innovaciones de los pueblos indígenas. Toda actividad relacionada con los recursos genéticos y los conocimientos asociados a los mismos perseguirán beneficios colectivos. Se prohíbe el registro de ***patentes*** sobre estos recursos y conocimientos ancestrales.

Artículo 125. Los pueblos indígenas tienen derecho a la participación política. El Estado garantizará la representación indígena en la Asamblea Nacional y en los cuerpos deliberantes de las entidades federales y locales con población indígena, conforme a la ley.

Artículo 126. Los pueblos indígenas, como culturas de raíces ancestrales, forman parte de la Nación, del Estado y del pueblo venezolano como único soberano e indivisible. De conformidad con esta Constitución tienen el deber de salvaguardar la integridad y la soberanía nacional».

1 En el texto aparecen varias palabras en negrita. Relaciona el significado de cada una entre estos:

a.	**1.** Correspondencia mutua de una persona o cosa con otra.
b.	**2.** En América Latina, descendientes de padres europeos.
c.	**3.** Administración de algo.
d.	**4.** Tradicional y de origen remoto; proveniente de los antepasados.
e.	**5.** Que no puede ser retenido por mandato del juez ni de otra autoridad competente.
f.	**6.** Manera de ver e interpretar el mundo.
g.	**7.** Que no se puede ceder el dominio o el derecho sobre algo a otra persona.
h.	**8.** Documento en el que se le reconoce a alguien una invención, con los derechos derivados de la misma.

2 Responde:

Artículo 119: ¿Quién se encargará de la delimitación de las tierras colectivas de los indígenas? ¿Implica esto que los dueños de las tierras pueden venderlas a otros colectivos?

Artículo 121: ¿Qué características debe tener la educación de estos pueblos?

Artículo 122: ¿Crees que la tradición médica indígena está basada en los mismos principios que la medicina moderna?

Artículo 123: ¿Mantienen los indígenas venezolanos sus prácticas propias en cuanto a la manera de trabajar?

Artículo 124: ¿Por qué crees que la Constitución prohíbe el registro de patentes?

Artículo 126: ¿Qué se les exige a los indígenas en este artículo?

3 Di si estas afirmaciones son verdaderas ☑ o falsas ☒.

a. Los indígenas en Venezuela siempre han gozado de los mismos derechos que los demás venezolanos. ☐ ☐

b. La nueva Constitución será importante en la Historia de Venezuela. ☐ ☐

c. Los indígenas de Venezuela poseen sus propias tradiciones y creencias espirituales. ☐ ☐

d. En las escuelas indígenas no se enseñará español. ☐ ☐

e. Las prácticas económicas indígenas no son compatibles con la economía nacional. ☐ ☐

f. Los beneficios obtenidos por los indígenas de sus descubrimientos e innovaciones solo podrán ser usados para el beneficio de la comunidad indígena. ☐ ☐

g. Los indígenas no pueden votar. ☐ ☐

h. La Constitución busca la unidad de todos los habitantes de Venezuela y el respeto a las diferencias. ☐ ☐

4 Para hablar:

- ¿Existen en tu país diferentes grupos étnicos? ¿Cómo es la convivencia entre ellos? ¿Crees que se podría hacer algo para mejorarla?
- ¿Crees que es compatible dentro de un país las prácticas de economía colectiva junto con la economía de mercado más individual y de libre comercio que tenemos en nuestros días?
- ¿Añadirías algún otro artículo a los del texto?
- En grupos, cread un breve catálogo con 4 derechos y 4 deberes para el colectivo que más interesante os resulte: parejas conviviendo, *okupas*, inmigrantes sin papeles, altos ejecutivos...

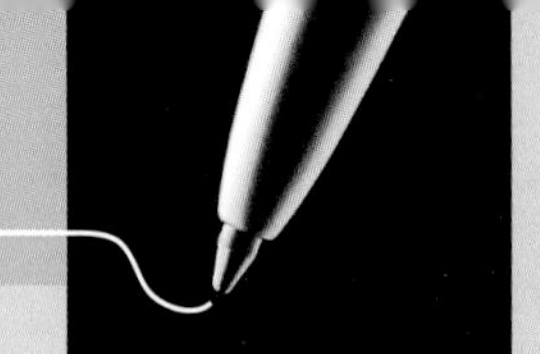

LA CARTA FORMAL

Lee esta carta real enviada a un programa de radio, y completa los espacios en blanco con la palabra adecuada. Después, redacta tú una carta de protesta al defensor oportuno.

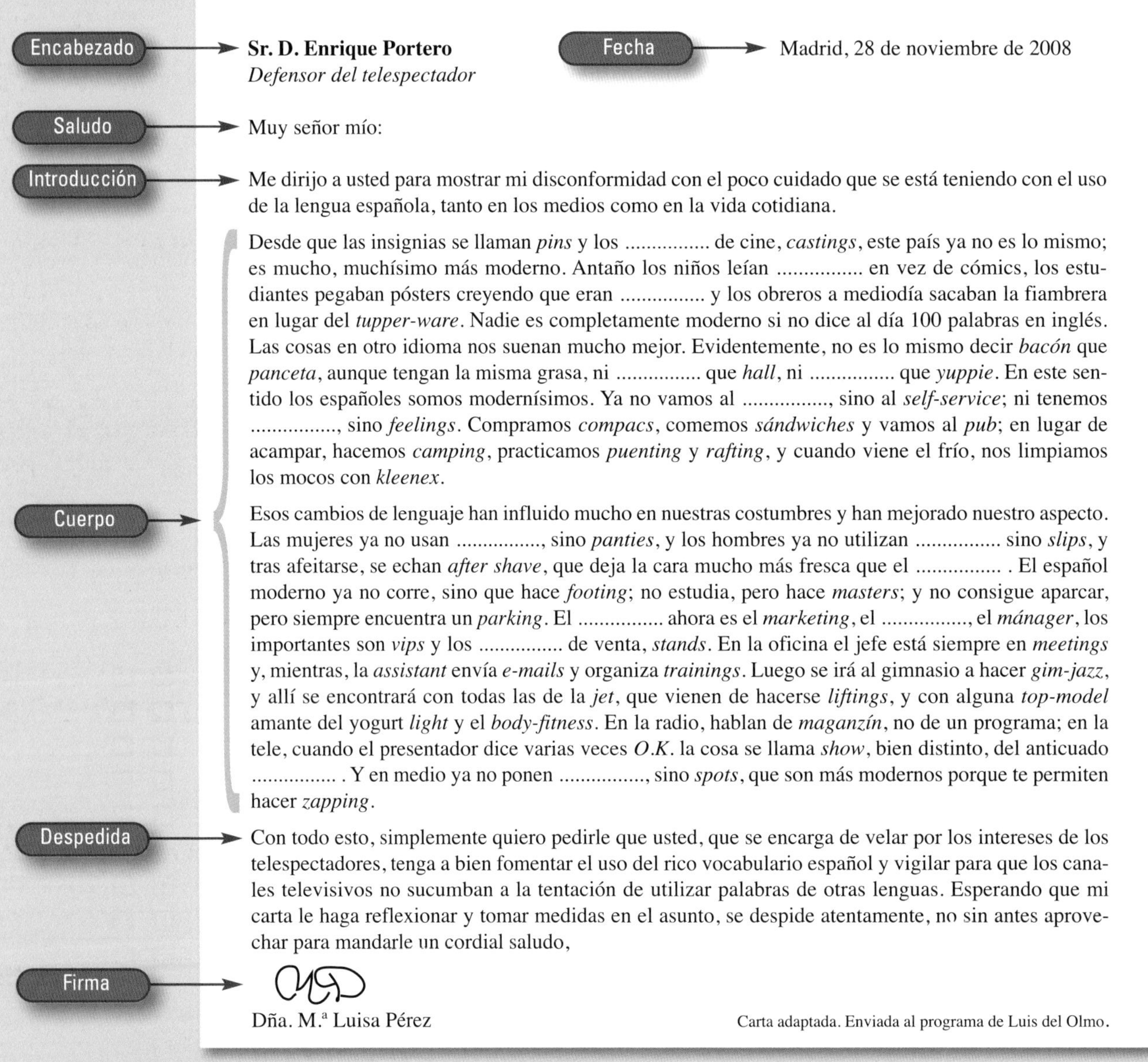

Encabezado → **Sr. D. Enrique Portero**
Defensor del telespectador

Fecha → Madrid, 28 de noviembre de 2008

Saludo → Muy señor mío:

Introducción → Me dirijo a usted para mostrar mi disconformidad con el poco cuidado que se está teniendo con el uso de la lengua española, tanto en los medios como en la vida cotidiana.

Cuerpo →

Desde que las insignias se llaman *pins* y los .... de cine, *castings*, este país ya no es lo mismo; es mucho, muchísimo más moderno. Antaño los niños leían .... en vez de cómics, los estudiantes pegaban pósters creyendo que eran .... y los obreros a mediodía sacaban la fiambrera en lugar del *tupper-ware*. Nadie es completamente moderno si no dice al día 100 palabras en inglés. Las cosas en otro idioma nos suenan mucho mejor. Evidentemente, no es lo mismo decir *bacón* que *panceta*, aunque tengan la misma grasa, ni .... que *hall*, ni .... que *yuppie*. En este sentido los españoles somos modernísimos. Ya no vamos al ...., sino al *self-service*; ni tenemos ...., sino *feelings*. Compramos *compacs*, comemos *sándwiches* y vamos al *pub*; en lugar de acampar, hacemos *camping*, practicamos *puenting* y *rafting*, y cuando viene el frío, nos limpiamos los mocos con *kleenex*.

Esos cambios de lenguaje han influido mucho en nuestras costumbres y han mejorado nuestro aspecto. Las mujeres ya no usan ...., sino *panties*, y los hombres ya no utilizan .... sino *slips*, y tras afeitarse, se echan *after shave*, que deja la cara mucho más fresca que el .... El español moderno ya no corre, sino que hace *footing*; no estudia, pero hace *masters*; y no consigue aparcar, pero siempre encuentra un *parking*. El .... ahora es el *marketing*, el ...., el *mánager*, los importantes son *vips* y los .... de venta, *stands*. En la oficina el jefe está siempre en *meetings* y, mientras, la *assistant* envía *e-mails* y organiza *trainings*. Luego se irá al gimnasio a hacer *gim-jazz*, y allí se encontrará con todas las de la *jet*, que vienen de hacerse *liftings*, y con alguna *top-model* amante del yogurt *light* y el *body-fitness*. En la radio, hablan de *maganzín*, no de un programa; en la tele, cuando el presentador dice varias veces *O.K.* la cosa se llama *show*, bien distinto, del anticuado .... Y en medio ya no ponen ...., sino *spots*, que son más modernos porque te permiten hacer *zapping*.

Despedida → Con todo esto, simplemente quiero pedirle que usted, que se encarga de velar por los intereses de los telespectadores, tenga a bien fomentar el uso del rico vocabulario español y vigilar para que los canales televisivos no sucumban a la tentación de utilizar palabras de otras lenguas. Esperando que mi carta le haga reflexionar y tomar medidas en el asunto, se despide atentamente, no sin antes aprovechar para mandarle un cordial saludo,

Firma →

Dña. M.ª Luisa Pérez

Carta adaptada. Enviada al programa de Luis del Olmo.

▶ Hay algunos términos que no aparecen en el texto. ¿Podrías decir cuál es su equivalencia en español? ¿Sabes qué significan *footing* y *puenting*? Todas las lenguas han sido más o menos influidas por otras. ¿Qué te parece esto? ¿Qué pasa con tu lengua?

▶ Seguramente muchas veces habrás tenido ganas de protestar por alguna cosa referida a tu vida diaria. Escribe una carta al defensor que consideres más adecuado, hablando sobre ello.
Si no se te ocurre ninguna, aquí tienes algunas opciones:

- Tu compañía de Internet te está cobrando y llevas un mes sin servicio.
- Tu programa favorito de documentales ha sido sustituido por un *reality*.
- El periódico, que lees por su información seria y veraz, ha incluido una sección de cotilleos de sociedad.
- La escuela de tu barrio está pasando por uno de sus peores momentos. Hay humedad y muy pocos medios para que los niños puedan aprender.
- Cada día se instalan músicos ambulantes delante de tu casa, con lo que te es difícil poder oír la tele, tener conversaciones en un tono normal o dormir una siesta.

Tema 6

DESTINO, EL MUNDO HISPANO

Hoy está de moda viajar, conocer otros lugares. Estar de vacaciones es casi sinónimo de ir de viaje. Sin embargo, hay tantas formas de viajar como personas. La personalidad de cada uno se muestra tanto en la elección del destino como en la forma de efectuar el viaje o la actitud que se toma ante cada evento. Conocer a las personas con las que viajarás te ayudará a asegurarte de que el viaje va a ser un éxito.

¿Te gusta viajar? ¿Cuáles son tus preferencias? ¿Conoces bien a la gente que te rodea? Responde a las preguntas de este cuestionario. Luego, prepara unas preguntas para conocer a tu compañero de viaje ideal, házselas a tus compañeros de clase. ¿Hay alguien en clase como tú?

Marca tus destinos preferidos (máximo dos):

- ☐ la playa
- ☐ la montaña
- ☐ las ciudades con vida
- ☐ las ruinas arqueológicas
- ☐ las ciudades históricas

Prefieres (una de las dos opciones):

1. Viajes largos / cortos
2. Si tienes tiempo, visitas muchos / pocos lugares
3. Mejor viaje por agencia / por tu cuenta
4. En grupo / solo
5. Destinos lejanos / próximos
6. Culturas conocidas / exóticas

¿Cómo te consideras como viajero? ¿Por qué? (Elige como máximo dos y explica):

- ☐ aventurero ....
- ☐ cultural ....
- ☐ gastronómico ....
- ☐ ecológico ....
- ☐ deportista ....
- ☐ ocasional ....
- ☐ turista ....

DESTINO, EL MUNDO HISPANO

Infórmate

A DOS AMIGOS DE VISITA POR BARCELONA

Escucha esta conversación y responde a las preguntas.

- ¿Qué inconveniente encuentra uno de los chicos en alquilar bicis para visitar la ciudad?
- ¿Por qué quieren ir en teleférico?
- ¿Cómo justifica cada uno su preferencia por viajar en metro o en autobús?
- ¿Qué tienen planeado visitar en Montjuic?
- ¿Qué pregunta quieren hacer en el metro?

B ¿CÓMO VAN?

7 Ahora, vuelve a escuchar y marca las fotos de los lugares que han visitado o que tienen planeado visitar, y los transportes que han utilizado o van a utilizar.

1 Parque Güell

2 Palau de la Música, Lluís Domènech i Montaner

3 Las Ramblas

4 Iglesia Santa María del Mar

5 Museo Picasso

6 Teleférico

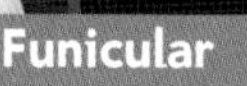

7 Funicular

8 Casa Batlló

9 Bus turístico

10 Tranvía

C ¿QUÉ VER EN BARCELONA?

Relaciona la información sobre los monumentos con las imágenes.

◯ Iglesia gótica construida entre 1329 y 1383 por Berenguer de Montagut y Ramón Despuig. Destaca su luminosidad y austeridad.

◯ Emblemático paseo concurrido a todas horas, a lo largo del cual puedes encontrar puestos de flores, quioscos, mercadillos, cafeterías, actores callejeros, pintores, etc.

◯ Este museo ocupa cinco grandes palacios de la calle de Montcada, que datan de los siglos XIII-XIV. Tienen una forma común: un patio, que da acceso a la planta noble por una escalinata.

◯ Jardín que mezcla elementos arquitectónicos integrados en la naturaleza, diseñado por Antonio Gaudí, máximo exponente del modernismo catalán. Declarado Patrimonio de la Humanidad.

◯ Auditorio de gran importancia en el modernismo catalán. Combina los amplios muros de cristal, con escultura y forja. Ha sido declarado Edificio Patrimonio de la Humanidad.

◯ Casa modernista de Antonio Gaudí. Las líneas ondulantes de su fachada la convierten en un edificio de gran belleza. Está situada en el Paseo de Gracia.

D SON PATRIMONIO DE LA HUMANIDAD

Elige uno de los textos, infórmate y cuéntaselo a tus compañeros.

Machu Picchu (del quechua «Montaña Vieja») es el nombre contemporáneo que se da a un antiguo poblado andino inca. Fue construido enteramente de piedra, a mediados del siglo XV, en el promontorio rocoso que une las montañas Machu Picchu y Huayna Picchu en los Andes Centrales, al sur de Perú. Según documentos, habría sido una de las residencias de descanso de Pachacútec (primer emperador inca), además de un santuario religioso. Está dividido en dos grandes sectores: uno, el sector agrícola (con las terrazas para cultivar) y el otro, el urbano (con palacios y templos). Es Patrimonio de la Humanidad de la Unesco desde 1983.

Chichén Itzá está ubicado en Yucatán (México). Fue una ciudad o un centro ceremonial maya. Destaca entre sus edificaciones la pirámide de Kukulcán, de cuatro lados, sobre una plataforma rectangular de 55,5 m de ancho y de 24 m de alto, que culmina en un templo rectangular. Cada lado tiene una gran escalinata que conduce al templo superior. En la base de la escalinata norte hay dos colosales cabezas de serpientes emplumadas, efigies del dios Kukulcán. Chichén Itzá es Patrimonio de la Humanidad desde 1988.

La isla de Pascua está ubicada en la Polinesia chilena, en medio del océano Pacífico. En la isla encontramos vestigios de la cultura ancestral de la etnia rapa nui, en las enormes estatuas conocidas como *moáis*. Los más de 600 moáis esculpidos por los antiguos rapa nui están distribuidos por toda la isla. La mayoría de ellos fueron labrados en piedras procedentes del volcán Rano Raraku, donde quedan 397 moáis más en diferentes fases de acabado, que posiblemente fueron abandonados en plena construcción. En un principio, estas estatuas gigantes llevaban también unos copetes de piedra roja, llamados *pukao*, que pesan más de 10 toneladas. En los huecos oculares, se colocaban placas de coral a modo de ojos. La Unesco la declaró como Patrimonio de la Humanidad en 1995.

Infórmate

Busca los sinónimos en el texto de estas palabras.

TEXTO 1	TEXTO 2
▶ templo	▶ sobresale
▶ actual	▶ gigantes
▶ prominencia	▶ de rituales
▶ sección	▶ escalera

TEXTO 3
▶ vacíos
▶ situada
▶ rastros
▶ moños

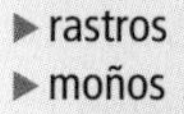

interactúa

¿Conoces más?

- ¿Conoces otros lugares que sean patrimonio de la humanidad?
- Estos lugares estuvieron en la lista para elegir las siete maravillas del mundo. En grupos, elaborad vuestra propia lista y después discutid ante el resto de la clase hasta conseguir unanimidad.

DESTINO, EL MUNDO HISPANO

Reflexiona y practica

1 Las oraciones temporales en pasado

Observa.

TIEMPO GENERAL	▶ **Cuando** + pasado + pasado. *Cuando fue a revelar las fotos, descubrió que los negativos estaban estropeados.*
SUCESIÓN INMEDIATA	▶ **En cuanto** + pasado + pasado. *En cuanto el avión despegaba, se ponía a masticar chicle para evitar molestias en los oídos.* ▶ **Tan pronto (como)** + pasado + pasado. *Tan pronto cargaron el camión, partieron.* ▶ **Apenas** + pasado + pasado. *Apenas se evacuó a los refugiados, empezó el tiroteo.* ▶ **Nada más** + infinitivo + pasado. *Nada más conocer los hechos, la noticia apareció en todos los periódicos.*
SUCESIÓN	▶ **Al** + infinitivo + pasado. *Al llegar a la autopista, tuvimos un pinchazo.*
SUCESIÓN HABITUAL	▶ **Siempre que** + pasado + pasado. *Siempre que deshacía las maletas, pensaba en irse de nuevo.* ▶ **Cada vez que** + pasado + pasado. *Cada vez que se iba de viaje, su perro lloraba.*
LÍMITE FINAL	▶ **Hasta que** + pasado + pasado. *Hasta que el avión no aterrizó, no se quedó tranquilo.* ▶ **Hasta** + infinitivo + pasado. *Estuvo mareado hasta pisar tierra firme.* * Si *hasta* aparece al principio de la frase, suele ir seguido de negación, pero si aparece al final, no es necesario. *No se quedó tranquilo hasta que el avión aterrizó.*
LÍMITE INICIAL	▶ **Desde que** + pasado + pasado. *Desde que fue desterrado, no volvió a su país.*
SIMULTANEIDAD	▶ **Mientras** + pasado + pasado. *Mientras subía al avión, sonó su móvil.* ▶ **Al mismo tiempo que** + pasado + pasado. *Le hizo un guiño a su novia, al mismo tiempo que el jefe de aduanas le pedía el pasaporte.*

Antes de... / después de... // antes de que... / después de que...

▶ Sin embargo, cuando usamos marcadores para indicar anterioridad y posterioridad, necesitamos usar el imperfecto de subjuntivo si estamos usando dos sujetos diferentes en cada oración.
Antes de que se fuera (él)*, pensábamos* (nosotros) *qué regalo hacerle para que le sirviera en su viaje.*

▶ Si el sujeto es el mismo en las dos oraciones, usamos un infinitivo.
Antes de arrancar (yo) *el coche,* ***comprobaba*** (yo) *si los niños tenían el cinturón de seguridad puesto.*

ANTERIORIDAD	▶ **Antes de** + infinitivo + pasado (mismo sujeto). *Antes de viajar, estudiaba cuidadosamente el mapa de carreteras.* ▶ **Antes de que** + subjuntivo + pasado (sujetos diferentes). *Antes de que el autobús de su amiga se fuera, le regaló un recuerdo de su ciudad.*
POSTERIORIDAD	▶ **Después de** + infinitivo + pasado (mismo sujeto). *Después de revisarle el equipaje de mano, le dejaron embarcar.* ▶ **Después de que** + subjuntivo + pasado (sujetos diferentes). *Después de que Ana colocara las fotos en el álbum, él las miró y le dijo que eran muy malas.* ▶ **Después de que** + indicativo. Cuando hay dos sujetos diferentes. El uso es más coloquial. *Después de que Alba colocó las fotos en el álbum, él las miró.*

2 Organizar un viaje

Lee esta nota sobre las cosas que se suelen hacer en los viajes. Luego, ordénalas en *antes, mientras* y *después,* e invéntate oraciones con ellas utilizando las estructuras temporales vistas.

- deshacer las maletas
- comprar recuerdos
- consultar una guía turística
- reservar habitaciones
- hacer fotos
- comprar los billetes de avión
- ir a la oficina de turismo a pedir un plano
- sacar dinero del cajero
- visitar monumentos
- hacer regalos
- montar el álbum de fotos
- planear el viaje
- consultar el parte meteorológico

Reflexiona y practica

3 El juego del tiempo

Instrucciones para el juego: Construye frases temporales usando los conectores que saques en el dado y las palabras y el momento temporal que aparece en las casillas. Tus compañeros deberán decidir si está bien o mal para poder continuar. Si caes en el semáforo verde, avanzas dos casillas, pero si caes en el semáforo rojo, retrocedes dos casillas.

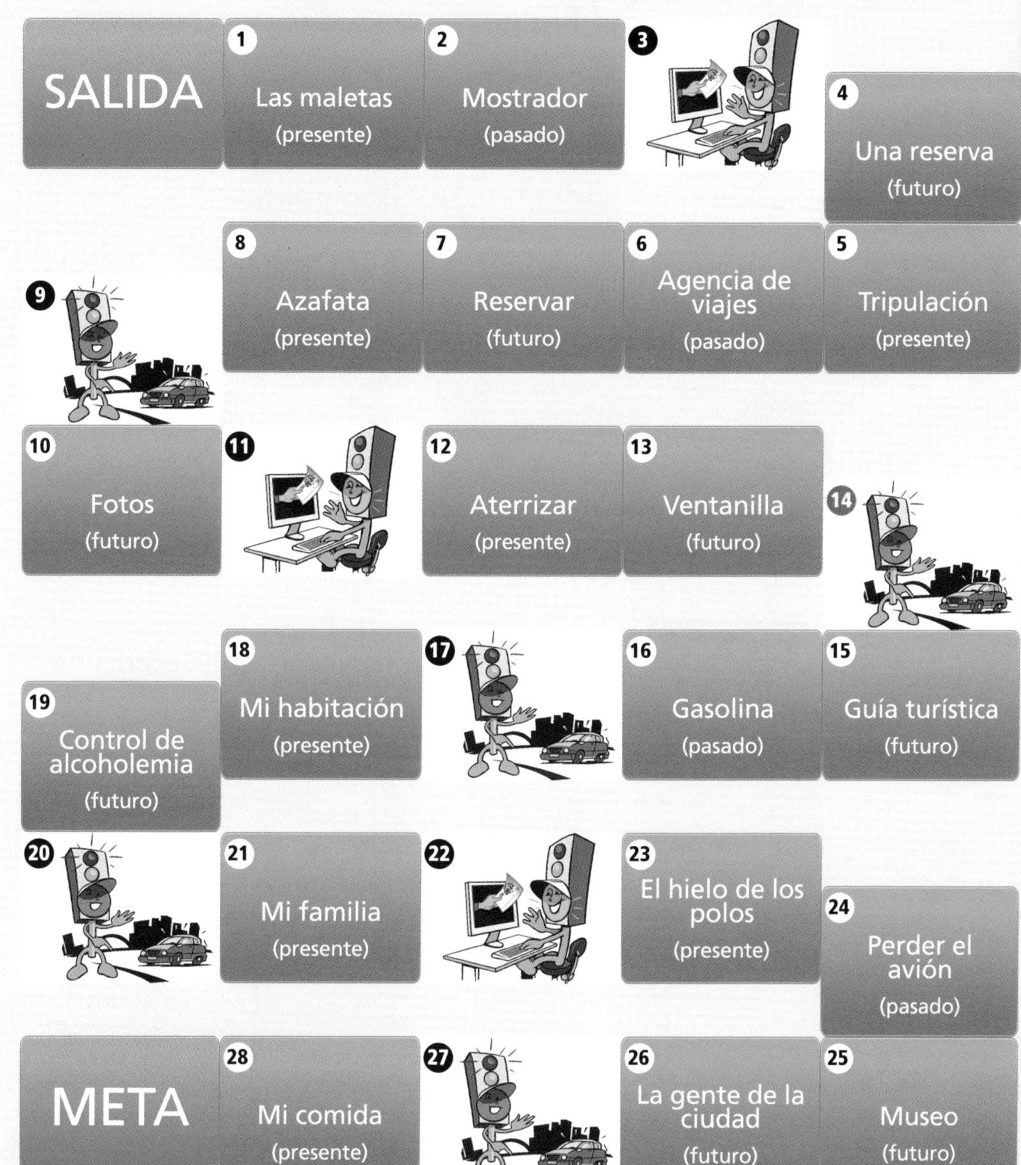

- ⚀ Antes de... / Después de...
- ⚁ Cada vez que... / Apenas...
- ⚂ Mientras... / Hasta que no...
- ⚃ Antes de que... / Después de que...
- ⚄ Siempre que... / Tan pronto (como)...
- ⚅ Desde que... / En cuanto...

interactúa

Experiencias

- ¿Cuál ha sido la mejor experiencia que has tenido viajando? ¿Y la peor? Cuéntasela a tu compañero.
- La asociación Amantes de los transportes ofrece un viaje de un mes por toda Europa al ganador de su concurso anual: ¿Eso te pasó...?

Las bases del concurso son:

1. Hablar sobre una experiencia vivida yendo de viaje en un medio de transporte.
2. Utilizar el vocabulario adecuado a ese medio.
3. Extensión mínima: 200 palabras.

¡Participa!

DESTINO, EL MUNDO HISPANO

Así se habla

Es mejor ir en tren que en taxi por si encontramos caravana.

1 ¿Sabes qué significa esta expresión?

Ir en / Encontrar caravana.

- ☐ Tardar en encontrar el taxi.
- ☐ Ir un coche detrás de otro, muy despacio por el tráfico.

2 Aquí tienes otras expresiones relacionadas con los viajes y los transportes. Relaciónalas con su significado.

1. Perder tu / su tren.
2. No tener sentido de la orientación.
3. Llevarse la casa a cuestas.
4. Ir / Marchar (las cosas) sobre ruedas. Ir viento en popa.
5. Hacer dedo.
6. Perder el norte.
7. Estar como un tren / una moto.
8. Ir en fila india.

- **a.** Ir todo bien.
- **b.** Perderse fácilmente.
- **c.** Perder la oportunidad.
- **d.** Caminar uno detrás de otro.
- **e.** Viajar con mucho equipaje.
- **f.** Desorientarse en la vida.
- **g.** Parar a los coches para que te lleven.
- **h.** Ser guapo / sexi.

Una historia de viajes.

3 Ahora lee este texto y sustituye las palabras en negrita con una de estas expresiones. Luego, piensa qué pueden significar los refranes del texto marcados. ¿Existen otros parecidos en tu lengua?

Nos fuimos a los Pirineos cargados con un remolque para llevar todo el equipaje de Raúl, que siempre parece que ***se va de mudanza****. ¡Y vaya viaje!* ***El tráfico era muy denso*** *y tardamos mucho en llegar. Resultó que había un control de tráfico parando los coches y mandándote soplar para ver si habíamos bebido. Luego, Raúl se empeñó en coger un atajo y, ya sabéis, «no hay atajo sin trabajo», y acabamos en un camino de cabras lleno de túneles y baches. A todo esto empezamos a oír un llanto, como de bebé. ¡Y adivina! ¡Llevábamos un gato como polizón! Y para colmo, al llegar, resultó que no había mucha nieve, y tuvimos que dedicarnos a hacer senderismo por ahí: a subir por senderos estrechísimos, donde solo podíamos* ***de uno en uno****. Caminábamos mucho, y Raúl y yo acabábamos hechos polvo. Hasta que un día nos fuimos solos, por nuestra cuenta. Yo ya lo advertí, que* ***me pierdo en todas partes****, pero Raúl nada, repitiendo lo de que «todos los caminos llevan a Roma»... Pues no es verdad, nos perdimos de nuevo. Acabamos muy lejos, y tuvimos que parar en una carretera a* ***hacer autostop*** *hasta que paró una camioneta y nos llevó. Y luego, cada vez que llamaba Yoli, la novia de Raúl, que por cierto* ***es guapísima****, él fingiendo decía que todo* ***iba genial****. Y ella no se lo creía y me preguntaba a mí, porque claro, es que el chaval se mete en cada lío... Y yo tenía que cubrirle la espalda diciendo que sí, que todo* ***iba de maravilla****. Y nada más volver, Raúl corrió a comprarse una brújula –que le viene bien, digo yo, porque si no* ***se va a descentrar mucho****–, y ya estaba planeando su siguiente viaje. «¡Con la música a otra parte!», decía todo emocionado... ¡Qué se le va a hacer, si el chico es un verdadero trotamundos! Pero yo os digo una cosa: dicen eso de que «los nacionalismos se curan viajando», pero yo prefiero el refrán de «como en casa, en ninguna parte». Y lo que no sé es lo que va a aguantar la novia de Raúl. La última ya se lo dejó bien claro, que si volvía a pasar* ***perdería*** *su última* ***oportunidad****.*

DESTINO, EL MUNDO HISPANO

Rechazar o aceptar una propuesta

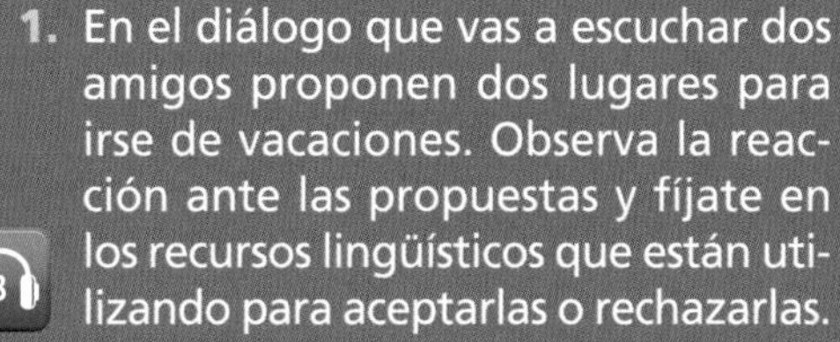

1. En el diálogo que vas a escuchar dos amigos proponen dos lugares para irse de vacaciones. Observa la reacción ante las propuestas y fíjate en los recursos lingüísticos que están utilizando para aceptarlas o rechazarlas.

Jose María ¿Qué? ¿Nos vamos a Toledo, ahora?
Lola ¿¡A Toledo!? ¿¡Ahora con el calor que hace!? ¿¡En pleno agosto!? ¡Tú estás loco!
Arturo Oye, ¿y si nos vamos a la playa?
Jose María ¡Genial! ¡Yo me apunto encantado!
Lola: ¡Ni lo sueñes! ¡Las costas están siempre abarrotadas de gente en estas fechas!

Exprésate

2. Cuando nos hacen propuestas a veces sentimos la necesidad de reaccionar ante ellas con énfasis, mostrando entusiasmo, sorpresa o absoluto desacuerdo. Observa estas maneras de hacerlo en la lengua coloquial.

Para aceptar una propuesta...

- ¡Genial! ¡Yo me apunto!
- ¡Cómo no! ¡Por supuesto!
- ¡Yo firmo ahora mismo!
- ¡Estupendo! ¡Cuenta conmigo!

(Con reticencias)

- Bueeeno, si insistes...
- Si no hay más remedio...

Para rechazar una propuesta...

- Repitiendo la pregunta (-¿Nos vamos a Toledo? / -¿¡A Toledo!?)
- ¡Venga ya! ¿Tú estás loco o qué?
- ¡Ni lo sueñes!
- ¡Cómo que (+ inconveniente)! ¡Ya te gustaría, ya!
- ¡Conmigo no cuentes!
- ¿Va en serio? / ¿Es broma, no?
- ¡Anda! ¿De qué vas? ¿Cómo vamos a...?

3. Ahora hazle estas propuestas a tu compañero, que deberá aceptarlas o rechazarlas usando estas formas. Luego él te las hará a ti.

4. Ahora te toca a ti. Piensa en un viaje o actividad que te gustaría hacer, y propónsela a tus compañeros: ¡A ver cómo reaccionan!

- Dar la vuelta a España en un barco.
- Subir sin billete en el tren.
- Pasar una noche en el hotel del terror, en Madrid.
- Viajar haciendo dedo.
- Hacer el camino de Santiago a pie.
- Ir a visitar el Teatro Romano de Mérida.
- Montar en globo.

Tertulia

Vamos a organizar un debate sobre formas de viajar.

1. Discute en grupos de cuatro qué es mejor hacer o no hacer cuando te encuentras en estas situaciones, y cuenta alguna anécdota que recuerdes sobre estos temas:
   - Si viajas solo.
   - Si te pierden las maletas en el aeropuerto.
   - Si enfermas durante el viaje.
   - Si te quedas sin dinero en mitad de las vacaciones.

2. Después, ponlo en común con el resto de la clase y elabora con ellos unas sugerencias de qué hacer en esas situaciones.

PREPÁRATE PARA ESTE TEMA

Para trabajar con este tema, revisa el léxico, comprueba las palabras que conoces, aprende las nuevas y realiza las actividades.

Alojamientos

acampar
el albergue
alojarse
alquilar
el *bungalow*
la cama supletoria
el camarote
la colchoneta
el compartimento
el conserje
la consigna
hacer *camping*
el hostal
el hotel
la manta
montar la tienda
ir de acampada
el parador
la pensión
poner una reclamación
la recepción
el recepcionista
recoger la tienda
el saco de dormir
el servicio de habitaciones
la tienda de campaña
el vestíbulo

1 Indica 6 lugares donde alojarse.

a. ....
b. ....
c. ....
d. ....
e. ....
f. ....

2 De las siguientes palabras, indica las que no sueles encontrar si vas de *camping*.

el camarote
la colchoneta
el compartimento
la consigna
la manta
el saco de dormir
la tienda de campaña
el vestíbulo

Personas

el / la auxiliar de vuelo / la azafata
el / la camarero/a
el / la capitán
el chófer
el / la conductor/-a
el / la jefe de estación
el / la maquinista
el / la marinero
el / la mecánico/a
el / la pasajero/a
el / la peatón
el / la piloto
el / la revisor/-a
la tripulación
el / la viajero/a

3 Relaciona las personas con el medio de transporte con que los asocias. Ojo, algunas personas van en varios medios de transporte.

a. En avión: ....
b. En barco: ....
c. En coche: ....
d. En tren: ....

PREPÁRATE PARA ESTE TEMA

Documentos y objetos de viaje

el billete
la bolsa de aseo
el bono de hotel
el callejero
el cheque de viaje
el DNI
el equipaje
el exceso de equipaje
la guía
el mapa de carreteras
el pasaporte
el plano turístico
la tarjeta de crédito
la tarjeta de embarque
el visado

Tipos de viajes

el paso del Ecuador
el turismo de aventura
el turismo rural
viajar en clase turista / preferente / primera
el viaje de negocios
el viaje de novios
el viaje de placer
el viaje de trabajo / estudios

Acciones

acelerar
adelantar
aparcar
arrancar
aterrizar
atracar
ceder el paso
chocar
conducir
cruzar el océano
cruzar la frontera
dar la vuelta al mundo
declarar
despegar
embarcar
facturar maletas
frenar
girar
hacer escala
hacer transbordo
hacer turismo
hacer un crucero
irse de puente / de fin de semana
itinerario
navegar
parar
pasar el verano
pasar la aduana
poner el intermitente
recorrer un país
registrarse
retrasarse
tocar el claxon
volar
zarpar

Expresión escrita

Estás planificando un viaje y tienes que elegir los pormenores del mismo. Elige una de las situaciones:

- Vas a hacer un viaje con amigos que viven fuera de tu ciudad. Escribes un correo electrónico indicando tus preferencias y justificándolas.
- Es tu luna de miel la que vas a organizar y te diriges por escrito a una importante agencia de viajes para explicarles lo que quieres.
- Hay un viaje de negocios a la vista en el que tienes que recorrer las ciudades más importantes de un país. Escribes las notas a tu ayudante, para que sepa qué es lo que tiene que contratar.

Lee los siguientes anuncios y responde a las preguntas que aparecen a continuación:

¿TE GUSTARÍA PASAR TUS VACACIONES AQUÍ?

Las cuevas de Guadix

Las casas cueva de Guadix (Granada) son apartamentos excavados en la tierra arcillosa, por eso tienen formas curvilíneas.

El conjunto de las casas cueva crea un hermoso paisaje, marcado por el 5 contraste entre la tierra rojiza y la blancura de la cal de las chimeneas y entradas de las casas cueva. Los techos tienen forma de bóveda y soportan sin ningún riesgo cualquier movimiento sísmico. La compactación del terreno a través de millones de años hace su construcción mucho más segura que la de cualquier otra vivienda. El mismo terreno hace de aislante térmico, por lo que la temperatura es muy estable todo el año, más 10 o menos 18 °C aproximadamente, con lo que se consigue que sean **cálidas** en invierno y frescas en verano.

El hotel del Cluedo

Este hotel, en el que podrás disfrutar de un fin de semana de misterio, está situado en la sierra de Madrid. Es el Hotel Palacio Miraflores y te propone jugar en vivo al **juego de mesa** «Cluedo».

15 El plan no puede ser más atractivo. Reunidos en diferentes grupos, los clientes reciben la noticia de que en el hotel se ha cometido un asesinato. Los sospechosos son cuatro, pero solo uno es el verdadero **asesino** y deben averiguarlo.

El arma y el lugar del crimen son otras dos incógnitas que han de resolver. Cuatro actores caracterizados de 20 diferente manera (un mayordomo, una pitonisa...) serán los encargados de guiar a los improvisados detectives con diferentes **pistas** para que lleguen a la solución.

El hotel del terror

En casa Sueiro te invitan a pasar un fin de semana de terror interactivo. En este caserón del siglo XVIII, situado en Galicia, se representa cada 25 fin de semana la obra *El roce de las alas*. Los clientes de esta casa rural tienen derecho a un cóctel, una cena completa, copas, alojamiento, desayuno, y, cómo no, a participar en el espectáculo de la obra, pudiendo incluso modificar el **desenlace**.

Todo empieza con la maldición de una «meiga» condenada por la Inquisición por cuatro cosas extrañas: la tie- 30 rra, el serrín, un rosario y salir sola por las noches...

A partir de ahí, la magia, las psicofonías y una sesión de espiritismo consiguen crear el ambiente adecuado para que esa noche te cueste **conciliar el sueño**.

1 De los anuncios se han extraído algunas frases, ¿a cuál de ellos crees que pertenece?

1. La decoración tiene elementos usados para las labores del campo, como candiles, cántaros, etc.
2. Para obtener una pista será necesario resolver acertijos, responder a preguntas, etc.
3. Siempre hay un artista invitado que ayuda a que los clientes tengan la dosis de terror.
4. Hay una gran cantidad de armarios excavados en las paredes.
5. El juego dura 2 horas, tras las cuales se puede tomar una copa en el bar del hotel.
6. Diez personas forman el grupo de actores, pero otras siete forman el equipo técnico.

2 Enlaza las palabras marcadas con una de estas definiciones.

.... Calientes.
.... Conjunto de señales que nos ayudan a averiguar algo.
.... Criminal.
.... Dormirse.
.... Final.
.... Juego con tablero.

3 Contesta a las siguientes preguntas:

Las cuevas de Guadix:

a. ¿Qué formas y colores tienen las cuevas?
b. ¿Es peligroso alojarse en ellas?
c. ¿Cómo se consigue una temperatura adecuada?

El hotel del Cluedo:

a. ¿Dónde está situado el hotel?
b. ¿Qué necesitan descubrir las personas que se alojan en él?
c. ¿Quién ayuda a los clientes?

El hotel del terror:

a. ¿Cuándo puedes alojarte en este hotel?
b. ¿Pueden los clientes decidir cómo acaba el misterio?
c. ¿Qué elementos ayudan a crear el ambiente adecuado?

4 Para hablar:

- ¿Has estado alguna vez alojado de vacaciones en algún sitio diferente o has oído hablar de algún otro hotel especial?
- ¿Qué te parecen estos hoteles? ¿Te gustaría alojarte en ellos? Indica las ventajas e inconvenientes de hacerlo.
- ¿Qué es lo primero que miras antes de elegir un lugar donde alojarte? ¿Y lo que consideras menos importante?

LA GUÍA DE VIAJES

Unos chicos nos recomiendan dos viajes: a Andalucía y al País Vasco. Lee lo que dicen y completa el cuadro con la información.

En un *blog* de viajes...

minube
donde empiezan y terminan tus viajes

¿eres nuevo? Entrar

Inicio | Vuelos | Hoteles

Para visitar Andalucía en una semana, no hace falta tener coche, ya que nos centraremos en ciudades grandes: Sevilla, Córdoba y Granada, con sus palacios de la época musulmana, ¡a cada cual más bello!; las iglesias que fueron mezquitas; el agua que corre por los patios y jardines de la ciudad y la refrescan... ¡Todo está al alcance del visitante, tomando el tren!

Compañías como clickair, vueling o easyjet tienen vuelos a las ciudades principales. Llegamos a Granada, para estar dos días de visita: un día entero dedicado al palacio de la Alhambra y el resto a la visita del casco antiguo, del barrio del Albaicín y la ciudad más moderna.

Seguimos hacia Córdoba, dos días también, visitando la hermosa mezquita de la ciudad, los restos de ruinas romanas y los edificios de la época mudéjar; y terminamos con tres días en Sevilla, donde podemos ver desde el palacio del Alcázar a la Giralda, pasando por el parque María Luisa y el barrio de Triana, con su colorido y su alegría.

Si piensas ir para más tiempo, y visitar por ejemplo el fabuloso parque natural de Doñana, en el Delta del Guadalquivir, donde vive el lince ibérico, o pasar unos días en la playa, es mejor tener coche.

Duración total del viaje:
....
Ciudades para visitar:
1.ª ciudad: ....
Tiempo requerido: ....
Monumentos/motivo de interés turístico:
....
Cómo llegar: ....
2.ª ciudad: ....
Tiempo requerido: ....
Monumentos/motivo de interés turístico:
....
Cómo llegar: ....
3.ª ciudad: ....
Tiempo requerido: ....
Monumentos/motivo de interés turístico:
....
Cómo llegar: ....
Otras posibilidades (con más tiempo):
....
....

En un foro de viajes...

tripadvisor.es
Los mejores hoteles para el 2010 | Consulta la lista
Inicio | Hoteles | Vuelos | Restaurantes | Inspiración | Escribe una crítica
Foro de País Vasco
Más de 30 millones de críticas y opiniones de viajeros
Inicio → Europa → España → País Vasco

País Vasco: Viajar a País Vasco · Hoteles en País Vasco · Vuelos a País Vasco · Ofertas a País Vasco · Foros de viajes
Más sobre País Vasco: Restaurantes · Qué hacer · Fotos · Mapa
Ofertas para País Vasco: Hoteles Baratos · Hotel y vuelo · Todas las ofertas de viaje

Foro de viajes al País Vasco

Hola. Yo os recomiendo visitar **la Euskadi** rural **y más** auténtica: para mí la más bonita. Yo empezaría por la costa, y haría una primera parada en San Juan de Gaztelugatxe (imprescindible). La siguiente parada sería Bermeo (mi pueblo): callejead por su puerto antiguo y su casco viejo, y **un secreto**: si tenéis tiempo y ganas, preguntad por la cala de Bermeo Artzatxu... Está bastante escondida, pero es **toda una delicia** bañarse en ella... con el cabo Matxitxako al fondo y entre huertas... ¡**Merece la pena**...! (...)

El siguiente pueblo que **no me perdería** sería Elantxobe, pequeñito, pero precioso. Si sois algo montañeros, os aconsejo que subáis desde aquí al cabo de Ogoño (¡con unas vistas **para quitar el hipo**!).

Seguimos... La siguiente parada sería Lekeitio (mi favorito). Después de Lekeitio, yo pararía en Mutriku. (Con un caótico desorden que guarda su encanto). Os puede entusiasmar o disgustar, pero resume muy bien lo que son los pueblos de la costa de Euskadi, sin apenas espacio, pues las montañas llegan hasta el mismo borde del mar, las casas se apiñan y caen en cascada por sus laderas. Entre Deba y Zumaia hay un fenómeno geológico conocido como *flysch*, estudiado por todos los geólogos del mundo: son unos acantilados espectaculares con calas secretas. ¡**No os defraudará**!

Ya habéis llegado casi a Donosti (ciudad que **no necesita presentación**): **no dejéis de** probar sus pinchos, pasear por su Concha **y sobre todo** subir al Igueldo... que tiene **vistas de postal**... Me encanta esta ciudad: tiene **esa mezcla** entre española, por su vida y ambiente, y francesa, por su orden y civismo. De alojamiento, lo mejor es una casa rural. Tenéis un montón de opciones: elegid la que más os guste...

Texto adaptado de http://www.minube.com/viaje/533

¿Qué diferencias encuentras entre este texto y el anterior?

- ¿Cuál es más detallado?
- ¿Ofrecen la misma información? (tiempo, comida, transporte, alojamiento, etc.)
- ¿Cuál piensas que es más personal?

En el segundo texto:

- Fíjate en las expresiones en negrita. ¿Con qué fin crees que se utilizan: para minimizar el interés turístico de estos lugares o para animaros a visitarlos?
- ¿Por qué aparece el tiempo verbal en condicional?
- ¿Puedes encontrar términos que busquen realzar la belleza del lugar? Ej.: *auténtico.*
- ¿Qué expresiones se usan para secuenciar la ruta propuesta? Ej.: *yo empezaría por...*

Ahora te toca a ti. En grupos de tres, elabora tu propia guía sobre vuestra región, provincia o ciudad. Recuerda contar qué se puede ver, cómo viajar y cuánto tiempo se puede necesitar. Incluye también algún consejo para poderlo visitar más cómodamente.

LA TELEVISIÓN HISPANA

Los canales de televisión ofrecen muchos tipos de programas. Actualmente, para que un programa se mantenga en antena solo debe cumplir un requisito: que los índices de audiencia sean altos. Además, los satélites permiten retransmitir programas internacionales en televisores de todos los países. La televisión hispana ha salido de sus propias fronteras y hoy tiene un gran éxito en muchos hogares no hablantes de español.

- **Infórmate:** La televisión
- **Reflexiona y practica:** Los verbos de sentimiento y juicio
- **Así se habla:** Expresiones coloquiales con formas de mirar y oír
- **Tertulia:** Los programas de televisión
- **Taller de lectura:** Soy agente, ¡necesito su coche!
- **Taller de escritura:** Artículo de opinión

¿Reconoces este tipo de programas? ¿Sabes que, junto a los noticieros, son los programas hispanos que más éxito tienen en el mundo y han recibido varios premios internacionales? ¿Has visto alguno? ¿Te gustan? ¿Cuál crees que es el motivo del éxito de estos programas? Lee la lista de motivos y escribe un párrafo indicando tu opinión.

 Cada capítulo termina en un momento de tensión, lo que hace que el espectador quiera sintonizar el siguiente episodio.

 Cuenta con una trama principal y varias subtramas que la complementa para dar mayor variedad e incluir a más personajes.

 Los personajes encarnan estereotipos: la chica buena que sufre y los malvados enemigos que hacen de las suyas durante toda la serie para evitar la felicidad de ella, por lo que estos recibirán un castigo en los últimos episodios.

 La trama se construye alrededor de secretos que el espectador ignora y no puede deducir. Estos son revitalizados casi en cada episodio.

 Se incluyen momentos en los que se sorprende con revelación completamente nueva y la información desconocida hasta ese momento cambia completamente la trama.

 En muchos casos son interactivas: como se escriben a medida que se transmiten sus capítulos, las opiniones del público pueden modificar la trama.

 Cristalizan las aspiraciones más generalizadas de su público: encontrar el gran y verdadero amor, triunfar sobre los problemas económicos, recuperar la salud, realizar un sueño y cambiar el destino.

 Involucra temas y noticias para que la trama se asemeje a la realidad.

 Terminan con un final feliz.

LA TELEVISIÓN HISPANA

Infórmate

A PROGRAMAS DE TELEVISIÓN

Relaciona el tipo de programa de televisión con su definición.

1. el concurso
2. el culebrón
3. los dibujos animados
4. el documental
5. la película
6. el *reality*
7. la serie
8. el telediario
9. el debate
10. el programa del corazón

a. film
b. juego en el que unos ganan y otros pierden
c. noticias, informativo
d. programa que habla de la vida de los famosos
e. reportaje informativo o didáctico
f. programa en el que aparecen dibujos en movimiento
g. telenovela
h. programa en el que se ve la vida de unas personas en directo
i. programa de ficción semanal, con unos mismos personajes
j. programa en el que la gente discute sobre un tema

Mira la siguiente programación de televisión e identifica los programas que ofrecen.

TVE La Primera	TVE La 2	Antena 3	Cuatro	Tele 5	La Sexta
07:00 Telediario matinal	**07:00** El Pato Donald y sus amigos	**09:00** Debatamos	**07:40** Bola de dragón. Capítulo 18	**08:30** La mirada que analiza la actualidad	**08:00** El abogado. Capítulo 22: Escapa
09:00 Los desayunos con Marisa	**09:00** La aventura de saber: Egipto	**11:30** La España del mar Andalucía	**08:09** Bola de dragón. Capítulo 19	**10:30** El programa de Ana Fernanda	**09:00** Despierta y gana
10:15 Saber sobrevivir	**11:20** Mujeres de la historia: Isabel I	**12:00** La ruleta de la fortuna	**09:00** Las mañanas de cuatro	**14:00** Cocina conmigo	**11:00** Vidas secretas: Napoleón
14:30 Corazón famoso	**15:30** Saber y ganar	**15:00** Antena 3 Informativos	**15:00** Noticias 4	**15:00** Informativos Telecinco	**12:00** Cocina con Miguel
15:00 Telediario 1	**17:00** Baloncesto: Liga ACB	**15:45** El tiempo	**15:45** Baila conmigo. Semifinal	**16:00** Sálvame de este cotilleo	**13:00** Hoy cocináis vosotros
15:55 El tiempo	**19:00** Noticias exprés	**16:00** Película: Viaje a Marte	**17:00** Descubre y ganarás	**17:00** Yo soy Luisa Capítulo 343	**15:00** Noticias de la Sexta
16:00 Amar a tiempo. Capítulo 232	**19:10** Fútbol: Partido de la Champions	**18:00** Mundo rosa	**18:00** Amigos - 3.ª temporada. Cap. 25	**19:00** Gran Hermano Resumen	**16:00** Padre de familia
18:00 Personas	**21:00** Noticias de la 2	**19:00** Habla con Margarita	**19:00** Amigos - 3.ª temporada. Cap. 26	**20:00** Pasapalabra	**16:20** La Sexta Deportes

Da tu opinión

¿Qué tipo de programas prefieres? Mirando la programación de las cadenas españolas, ¿qué diferencias hay con la televisión de tu país (horarios, tipos de programas, etc.)?

Infórmate

B A VER QUÉ ECHAN...

Escucha la siguiente audición y enlaza cada uno de los programas con la cadena en la que se emite:

TVE La Primera

TVE La 2

Antena 3

Cuatro

Tele 5

La Sexta

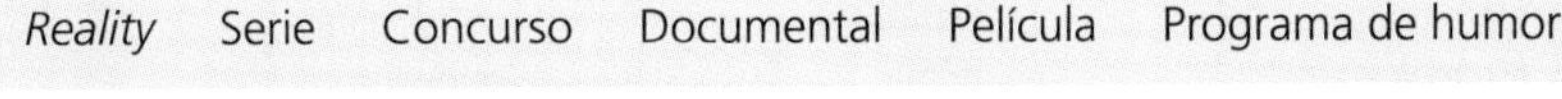

Vuélvela a escuchar y contesta a las siguientes preguntas:

- ¿Con qué palabra se define a programas como: telenovelas, *realities* y programas del corazón?
- ¿Qué característica tiene el concurso que se ofrece en una de las cadenas?
- ¿Cuál es el escenario del *reality*?

C LA IMPORTANCIA DE LAS TELENOVELAS

Lee e infórmate.

1. Durante el ramadán, en enero de 1999, muchas mezquitas de Abidjan (Costa de Marfil) decidieron adelantar la hora del rezo. Esta medida alivió a miles de creyentes que se encontraban ante un terrible dilema: sacrificar sus preceptos religiosos o ver el último episodio de *Marimar*, la telenovela mexicana que llegó a África, después de haber tenido un inmenso éxito en Indonesia y Filipinas. En 1997, la actriz principal fue recibida en Manila con los honores reservados solo a un jefe de Estado. También, durante esa época, centenares de miles de personas en Serbia paraban sus actividades para no perderse ni un minuto de la telenovela venezolana *Kassandra* e incluso algunos telespectadores solicitaron al gobierno venezolano que se retiraran los cargos contra Kassandra, el personaje de la novela del mismo nombre.
2. *Marimar* y *Kassandra* son dos grandes clásicos del género, pero miles de telenovelas se producen en América Latina desde hace 40 años (una media de 100 por año). Todas están repletas de intrigas que se desarrollan a un ritmo intenso y tienen, como eje central, historias de amor en las que los protagonistas deben superar innumerables obstáculos (barreras sociales, lazos familiares, conflictos de intereses...) hasta poder alcanzar la felicidad. Inevitablemente, la moral acaba por imponerse, el bien triunfa y los malos son castigados en un final feliz.
3. El género tuvo su apogeo en los años 80 conquistando los mercados europeos. Posteriormente pasó a arrasar en países árabes, africanos y asiáticos. Hoy en día, la telenovela es tan representativa de Latinoamérica, como puede serlo la salsa o el fútbol. Ante tal éxito mundial, uno se pregunta sobre la naturaleza de la telenovela: ¿son realmente un amasijo de emociones fáciles? Con su estilo repetitivo, se podría decir que no son un gran arte, pero detrás de ellas podemos encontrarnos con escenarios, diálogos y papeles que no son tan previsibles como parecen. Hay 40 años de trabajo profesional, así como una industria que puede pagar a los mejores guionistas, directores y actores del continente.
4. Los países latinoamericanos que más exportan telenovelas son México, Argentina, Brasil, Venezuela y Colombia. Este último ha logrado posicionar en el mundo cerca de 84 historias, todas de rotundo éxito. La telenovela *Yo soy Betty, la fea* ha sido exportada a numerosos países y cuenta con adaptaciones en México, Rusia, Países Bajos, la India, Alemania, EE. UU. o España.

Texto adaptado de http://www.unesco.org/courier/1999_05/fr/connex/txt1.htm

¿Qué frase resume cada párrafo?

a. Las telenovelas tienen unas determinadas características que las diferencian, por ejemplo, de las *soap operas*.

b. Estos son solo algunos ejemplos del grado de identificación que estas series pueden suscitar.

c. Centenares de telenovelas se exportan cada año y sus guiones sirven de base para muchas más.

d. Las telenovelas son infravaloradas aunque tienen mucho potencial económico y profesional detrás.

LA TELEVISIÓN HISPANA

Reflexiona y practica

1 Verbos de sentimiento y de juicio de valor

Hay dos tipos de verbos para expresar **sentimientos** y **juicios de valor**.

Grupo 1			
Me aburre(n) Me alegra(n) Me apasiona(n) Me divierte(n) Me encanta(n) Me fastidia(n) Me interesa(n) Me molesta(n) Me sorprende(n) Me enfada(n)	Me da(n) + nombre miedo pena rabia risa vergüenza grima asco igual	Me pone(n) + adjetivo alegre contento/a furioso/a histérico/a nervioso/a orgulloso/a negro/a	

Grupo 2
Aguanto Lamento Odio Prefiero (No) Soporto

Grupo 1

- Llevan delante un pronombre.
  Me *da risa este anuncio.*
- Concuerdan con el sujeto que aparece detrás, que es lo que produce el sentimiento.
  *Me divier**te el anuncio**. / Me abur**ren estos programas**.*
- Cuando hay contraste de opiniones, o por énfasis, se repite el pronombre o el nombre, precedido de la preposición *a* (*A Miguel, a los niños…*).
  - *No sé a ti, pero **a mí**, me apasionan las películas.*
  - *Pues yo prefiero los videojuegos.*

Grupo 2

- No llevan pronombre.
  *No **soporto** al presentador.*
- Concuerdan con el sujeto que llevan delante.
  (yo) No soporto *las películas de ciencia-ficción.*

2 ¿Con infinitivo o con subjuntivo?

Estos verbos funcionan de la siguiente manera.

- Con el mismo sujeto: **verbo + infinitivo**.
  Me encanta ver la tele. / Odio perderme mi programa favorito.
  (yo) = (yo) (yo) = (yo)
- Con un sujeto distinto en la segunda frase: **verbo +** ***que*** **+ subjuntivo**.
  *No **me divierte** que la gente **grite** tanto. / **Prefiero que** los presentadores **sean** amables.* (yo)
  (los presentadores)

ATENCIÓN

- **verbo +** ***cuando*** **+ indicativo** (no indica solo el sentimiento, sino también el momento del sentimiento).
  Me encanta cuando *algunos telespectadores **intervienen** en el programa.*

PRETÉRITO PERFECTO DE SUBJUNTIVO

- En construcciones que llevan subjuntivo usamos este tiempo para referirnos a acciones recientemente acabadas o vinculadas al presente.
  *Me gusta que **haya acabado** ya el programa (hoy).*
  *Me gusta que **acabe** el programa (ahora mismo).*

IMPERFECTO DE SUBJUNTIVO

- Se utiliza cuando el primer verbo va en pasado o se refiere a una acción pasada y cuando el primer verbo va en condicional.
  *Me gustó que **acabara** el programa.*
  *Me gustaría que **acabara** el programa ya.*

Reflexiona y practica

3 Valora un programa de televisión

El *reality La Isla* ha finalizado con una audiencia importante. La cadena ha pedido a los telespectadores que manden sus opiniones para poder mejorarlo. Aquí tienes un resumen de los aspectos positivos y negativos.

Positivo

- Las pruebas interesantes.
- Las sorpresas emocionantes a los concursantes.
- Las bromas divertidas entre Carlos y Quique, dos de los concursantes.
- La habilidad al pescar de Fernandito.

Negativo

- Los insultos.
- Las discusiones aburridas de Maruchi con todos.
- Las imágenes de concursantes enfermos, bastante desagradables.
- Los bañadores pasados de moda del presentador.
- El hambre increíble que han pasado todos.

Escribe tú lo que debieron opinar los espectadores. Usa el subjuntivo y un poco de tu imaginación para explicar por qué.

Me ha sorprendido muchísimo que los concursantes se hayan dicho tantos insultos sin que pasara nada, porque una cadena como la suya no suele permitir unos comportamientos como los vistos. No creo que sean adecuados para los niños, que suelen ser su público más fiel.

4 Programa de corazón

En nuestro programa *Saboreando el día*, Malena Glamour, famosa modelo, cuenta en una entrevista lo que ha ocurrido en su relación con David Triunfo, conocido cantante. Completa sus palabras.

Malena, sabemos que su relación con David Triunfo ha acabado. ¿Cuáles han sido los motivos?

Sí, realmente nuestra relación ha acabado. Y ha sido todo por el carácter de David. Me fastidiaba que él .... , pero no conseguí cambiarlo. A mí me encantaba........................, pero a él solo le interesaba .... Me ponía negra que él siempre ....

¿Hay alguna posibilidad de reconciliación?

En verdad no creo ...., pero me gusta que David .... porque no aguantaba .... Ahora me encantaría que .... y él se da cuenta de .... Supongo que las cosas .... y que a lo mejor le doy otra oportunidad.

Después de la entrevista, el exitoso cantante ha llamado por teléfono para comentar algunas cosas que ha dicho su exnovia. Completa los espacios en blanco.

¡Buenas tardes! Opino que .... En primer lugar, Malena odiaba que .... y me enfada que ahora .... Y en segundo lugar, yo siempre me he alegrado de ....; pero ha sido muy difícil porque a ella le daba vergüenza .... Con todo, me enorgullece ....: ¡Te quiero, Malena!

interactúa

La tele de tu infancia 

¿Recuerdas cómo era la tele de tu infancia? Explica lo que más te gustaba y detestabas de ella.

LA TELEVISIÓN HISPANA

Así se habla

Echar una ojeada y mirar con el rabillo.

¿Sabes qué significan estas expresiones?

Venga, zapeo un poco y **echamos una ojeada**.

a. Mirar con los ojos muy abiertos.
b. Ver rápidamente.

Te he pillado mirándolos **con el rabillo del ojo**.

a. Mirando disimuladamente.
b. Mirando fijamente.

Hay otras expresiones con formas de mirar.

Este es el guión del culebrón de este mediodía. Léelo. Después, une las expresiones marcadas con su significado.

Pamela: ¿Y qué vas a hacer ahora, Martita?

Martita: Después de lo que me has contado de Luis Ricardo, después de **abrirme los ojos**, ahora que sé cómo es, no tengo otra salida que romper con él. Pero no me verá llorar. Tengo el corazón partido, pero él no lo sabrá nunca. No permitiré que **me mire por encima del hombro**.

Pamela: Haces bien.

Martita: Esta noche tiene que verme linda en el baile. Necesito un vestido bien elegante, pero **me va a costar un ojo de la cara** y este canalla me ha dejado sin plata.

Pamela: No te preocupes, llamaremos a María Fernanda. Ella te dará el dinero **en un abrir y cerrar de ojos**. María Fernanda puede ayudarte, y como te quiere tanto, como eres **su ojito derecho**, te lo dará sin pensar. Además, te veo muy linda.

Martita: Gracias, lo que ocurre es que **me miras con buenos ojos**. Siempre me has querido mucho.

1. Abrirle los ojos a alguien.
2. Costar un ojo de la cara.
3. Hacer algo en un abrir y cerrar de ojos.
4. Mirar (a alguien) con buenos ojos.
5. Ser el ojito derecho de alguien.
6. Mirar a alguien por encima del hombro.

a. Hacer algo en un instante, rápidamente.
b. Tratar a alguien con desprecio o desdén.
c. Mostrar la realidad sobre algo o alguien.
d. Ser la persona predilecta de alguien.
e. Ser muy caro.
f. Tener una predisposición favorable hacia alguien.

Pero la televisión no solo se ve, también se oye.

Aquí tienes algunas expresiones relacionadas con los oídos u orejas que también han aparecido en la telenovela. Únelas de nuevo con su significado.

Luis Ricado: Creo que Pamela **le ha tirado de las orejas** a Martita porque hablaba mucho conmigo y, fíjate, ahora no quiere saber nada de mí.

Jorge Patricio: Mira que te lo dije, Luis Ricardo, que esta Pamela no era buena, que tuvieras cuidado. Pero tú no me hiciste caso, a ti te **entraba por un oído y te salía por el otro**.

Luis Ricado: Basta ya, Jorge Patricio.

Jorge Patricio: De acuerdo, no hablaré más, no seguiré **comiéndote la oreja** para que hables con Martita. Allá tú, pero recuerda lo que te digo, Pamela, cuando está contigo, te habla de lo guapo que eres, de lo simpático que eres, ella está todo el día **regalándote el oído** por una simple cuestión, porque no quiere que te cases con Martita.

Luis Ricado: A veces eres **duro de oído**, ¿no me escuchas? Te lo digo bien clarito, basta ya. No quiero saber más de este enredo.

1. Tirar (a alguien) de las orejas.
2. Comerle (a alguien) la oreja.
3. Entrarle (a alguien) por un oído y salirle por otro.
4. Regalarle (a alguien) el oído.
5. Ser duro de oído.

a. Decirle a alguien lo que quiere oír.
b. Estar hablando a alguien continuamente sobre algo para convencerlo.
c. Oír, pero sin prestar atención.
d. Regañar, reprender a alguien por algo.
e. Tener problemas de audición, de sordera.

Escribe nuevas frases del guión en las que las expresiones estén en su contexto.

Tertulia

La televisión es uno de los temas más controvertidos de nuestra sociedad. Todo el mundo opina sobre ella y sobre sus programas, ya sea a favor o en contra. Aquí tienes algunas citas de algunos personajes famosos que también opinaron. ¿Qué piensas de ellas? Discutidlo en pequeños grupos.

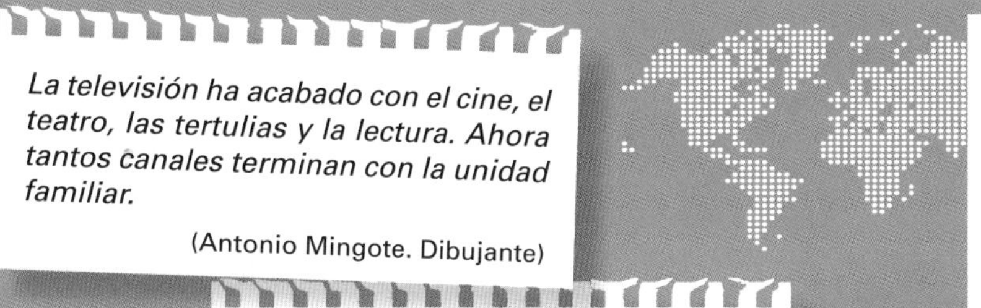

Exprésate

La televisión es el primer sistema verdaderamente democrático, el primero accesible para todo el mundo y completamente gobernado por lo que quiere la gente.

(Clive Barker. Escritor y director)

La televisión ha acabado con el cine, el teatro, las tertulias y la lectura. Ahora tantos canales terminan con la unidad familiar.

(Antonio Mingote. Dibujante)

Cuando viajo por Europa, paso bastante tiempo en la habitación del hotel, repasando la cultura local a través de los programas de televisión.

(Barbara Probst. Escritora)

Encuentro la televisión muy educativa. Cada vez que alguien la enciende, me retiro a otra habitación y leo un libro.

(Groucho Marx. Actor)

Vas a participar en un debate, que va a tratar sobre dos temas. Elige uno de ellos y a uno de los personajes. Tienes 10 minutos para preparar tu intervención. Toma notas sobre lo que vas a decir y piensa en lo que crees que el otro grupo puede argumentar. No solo va a ser importante exponer tu opinión, sino también defenderla.

Tema 1: El mundo de los *realities*

A favor — Grupo 1

- Un productor de *realities*.
- Un antiguo concursante.
- Un director de *realities*.
- Un fan de este tipo de programas.
- Un psicólogo.

En contra — Grupo 2

- Un padre de familia.
- Un psicólogo.
- Un representante de los telespectadores.
- Un intelectual.
- Un asesor familiar.

Tema 2: La publicidad en televisión, un paraíso para nuestros ojos.

A favor — Grupo 1

- Un productor de anuncios.
- Un publicista.
- Un espectador de festivales de publicidad.
- Un comerciante.
- Un psicólogo.

En contra — Grupo 2

- Un telespectador.
- Un psicólogo.
- Un ama de casa.
- Un adicto a las compras.
- Un asesor familiar.

PREPÁRATE PARA ESTE TEMA

Para trabajar con este tema, revisa el léxico, comprueba las palabras que conoces, aprende las nuevas y realiza las actividades.

Tipos de información

la anécdota
el artículo de opinión / de fondo
la cabecera
el comentario
la crítica
la crónica
el dato
el debate
el documental
la entrevista
la noticia (de actualidad)
el pie de foto
el reportaje
el rumor
el subtítulo
el titular
la versión digital
la versión en papel

1 Organiza los siguientes tipos de información de menos a más extensos y elaborados.

anécdota comentario crónica dato pie de foto reportaje rumor

Tipos de programas de la radio y la televisión

los anuncios
el concurso
el culebrón
el debate
los deportes
los dibujos animados
el documental
el espacio publicitario
el informativo
el musical
el parte meteorológico
la película
el programa en directo / en diferido
el programa del corazón
el *reality*
la retransmisión deportiva
la serie
el telediario
el telefilme
la telenovela
las variedades

2 Organiza los programas de televisión. Puedes hacerlo usando alguna de las categorías que te damos o elegir tus propios criterios:

Programas serios
Programas divertidos
Para todos los públicos
Programas banales
Programas aburridos
Solo para mayores de edad

Periodismo

la censura
la libertad de prensa / expresión
el periódico
la prensa amarilla
la prensa del corazón
la prensa escrita
la prensa especializada
la prensa rosa
la prensa sensacionalista
la revista
las revistas del corazón
la tirada de un periódico

Medios audiovisuales

la audiencia
la cadena
el canal
dar una rueda de prensa
el diario
la emisión
la emisora
la retransmisión
el telespectador
la televisión
el televisor

Expresión escrita

Vas a escribir un artículo sobre los medios de comunicación. Elige una de las siguientes situaciones, infórmate y redacta tu texto:

- Tienes que confeccionar la primera página del periódico con las noticias más relevantes del día. Piensa en los titulares y el resumen. Si es posible, selecciona una foto y pon el pie de foto.
- Escribe un reportaje con los programas de televisión más vistos en tu país y expresa tu opinión.
- Has visto en televisión un programa que te ha molestado especialmente (por su temática, por los temas que abordaba en horario infantil, por el punto de vista del presentador) y escribes una carta al director de un periódico denunciando la emisión del mismo.

Lee el siguiente texto y responde a las preguntas.

Soy agente, ¡necesito su coche!

En las películas y series de acción siempre hay alguna persecución. Si los malos no tuviesen la fea costumbre de correr cuando van a ser **detenidos**, las películas serían menos espectaculares; pero los ciudadanos de a pie mantendrían sus vehículos durante más tiempo, que su esfuerzo económico han tenido que hacer los pobres.

Sí, porque cuando hay una persecución, primero empieza «a pata», y cuando se cansa de correr el malo en-
5 cuentra a sus **compinches** en una furgoneta negra y el agente se queda con cara de pasmo en medio de la carretera mirando a un lado y a otro. Entonces pasa un pobre hombre, hace parar el coche **placa en mano** y le dice: «Soy agente, ¡necesito su coche!». Y ni un mísero aval, ni una mísera firma, ni un «hoy por ti mañana por mí». ¡Se lleva el coche tan ancho! Entonces las cámaras siguen la persecución, en la que los coches explotan como si los hubieran fabricado con goma-2 y cruzan un **puesto** de frutas que se queda sin las ventas del día.

10 Pero... ¿y el pobre hombre que se queda en mitad de la carretera con cara de tonto? ¿Qué le pasa a él? ¿Nadie se preocupa por él ni por su familia? Siempre es un hombre con traje, que salía del trabajo y se queda con la boca abierta diciendo: «Pero oiga...». No hay tiempo para explicaciones, un peligroso terrorista está **huyendo** de la policía. Pero ahí está el hombre, preguntándose cómo le explicará lo sucedido a su mujer...
- «Mira, cariño, que... iba conduciendo tan tranquilo escuchando la radio y de repente apareció un "tío" en
15 mitad de la carretera con una placa en la mano, se paró y me pidió el coche».
- «¿Y se lo diste? ¿Se lo diste? Si ya me lo decía mi madre, que no tenías personalidad».
- «Pero cariño... Era un agente de la ley».
- «¡Esto te lo estás inventando! ¡Menuda trola! Ves demasiadas películas Alfredo. ¿Has vuelto a jugar? Es eso, ¿no? Otra vez con el maldito póquer».
20 - «Que no, amor mío, que es la verdad».

Un desastre total. Los críos de fondo llorando, la suegra desde el sofá gritando: «¡Te lo dije!» y el drama familiar ya está montado. ¿Es que no piensan en ello los agentes de la ley? ¿Por qué no los devuelven después? Oye, que a lo mejor los devuelven. Eso tampoco se ve en las películas. Pero vamos, un policía dando saltos y estando a punto de morir treinta veces en un mismo capítulo, estoy seguro que si luego fuera a la casa y les devolviera el coche,
25 diría:
- «Aquí lo tiene, tiene alguna ligera **abolladura**, pero el seguro creo que lo cubre...».
- «Lo tengo a terceros».
- «¡Oh, Dios mío!».

Porque no se podría decir que tratan muy bien los coches después de **requisárselo** a los ciudadanos de a pie.
30 No es que el agente le dejen un coche **descapotable**, sino uno descapotado, **balazos** por doquier, puertas que volaron, sangre en la **tapicería**, **lunas** destrozadas... Será por eso que no lo devuelven. Les da vergüenza ir a su casa, llamar a la puerta y decirle:
35 - «Mire, esa bola de **chatarra** que hay ahí en su jardín, ese es su coche. Gracias por su colaboración con el Estado. Es usted un patriota».
- «Querrá decir ERA mi coche, señor agente. Con todos los respetos, he visto triciclos en **vertederos**
40 con mejor aspecto».

1 Elige, según el contexto, ¿qué significan las palabras en negrita?

Detenido
a. tiene que pagar un dinero a la policía
b. es llevado a la comisaría de policía
c. es premiado por la policía

Compinche
a. oponente
b. amigo
c. vecino

Placa en mano
a. con una acreditación de que es policía en su mano
b. con un golpe de mano
c. mostrando solo su mano

Puesto
a. tienda
b. montón
c. lugar donde se cultivan

Huyendo (huir)
a. enfrentándose
b. escapando
c. disparando

Abolladura
a. golpe
b. avería
c. arañazo

Requisar
a. pedir prestado
b. coger sin permiso por tener autoridad
c. alquilar por horas

Descapotable
a. que es apto para el uso
b. que puede ir sin puertas
c. que puede quitársele la capota (el techo del coche)

Balazo
a. agujero hecho por balas
b. sonido de las balas
c. canción suave sobre policías

Tapicería
a. la ropa de los policías
b. las ventanas del coche
c. los asientos del coche

Luna
a. cristal delantero o trasero del coche
b. satélite
c. esperanza

Chatarra
a. coche pasado de moda
b. coche inservible
c. coche rápido

Vertedero
a. tienda de segunda mano
b. garaje
c. lugar donde se tiran las basuras

2 Enlaza estas expresiones con su significado.

a. **Ciudadanos de a pie**
b. **(Ir) a pata** (coloquial)
c. **(Quedarse) tan ancho** (coloquial)
d. **Tío** (coloquial)
e. **¡Menuda trola!** (coloquial)
f. **Por doquier**

1. Por cualquier parte
2. ¡Qué mentira!
3. Chico u hombre
4. Quedarse como si nada pasara
5. Gente normal
6. Ir a pie, caminado

3 Contesta a las preguntas.

a. ¿Qué ocurre en la mayoría de series o películas de acción?
b. ¿Qué imagina el autor del texto que ocurre cuando el dueño del coche requisado llega a su casa?
c. ¿En qué estado acaban los coches usados en las persecuciones?
d. ¿Cuál es la propuesta del autor para que no haya más coches requisados?

4 Para hablar:

- ¿Cuál es tu serie favorita? Y de ella, ¿cuál es el protagonista que más simpatía te despierta? ¿Y el que menos? ¿Qué crees que es mejor, una miniserie con pocos capítulos o una serie con muchos capítulos y varias temporadas?
- ¿Qué escenas típicas podrías encontrar en series románticas, en series de humor, en series fantásticas, en series de hospitales... (como por ejemplo el coche requisado a un ciudadano en una serie de acción)?
- ¿Crees que los guionistas de series deberían consultar con su audiencia los finales de algunos capítulos o el final de la serie?

EL ARTÍCULO DE OPINIÓN

En este tipo de artículos se dan opiniones, valoraciones y análisis concretos sobre un tema de actualidad. La libertad expresiva del autor es casi total y, por lo tanto, puede elegir el tono, la perspectiva, la seriedad, etc., con la que lo escribe.

▶ Lee el siguiente y marca en él estas partes: presentación del tema, opiniones a favor y en contra, opinión del autor y conclusión.

UN NEGOCIO NO APTO PARA MENORES

La cantidad de dinero que mueve el mundo de la pornografía es algo innegable hoy en día y ahora mismo, gracias al gran crecimiento mundial del acceso a Internet en los últimos años, esta industria se ha convertido en una de las más grandes y poderosas en todo el mundo. **Para empezar**, el negocio mundial que genera la pornografía en la red es enorme; se ha calculado que genera más de 3 000 euros de ganancias por segundo. Hay contenido pornográfico en el 12% de las páginas web, el 8% de los correos electrónicos y el 25% de las solicitudes en buscadores; el 35% de las descargas que se hacen son de material pornográfico y cada día se abren 300 nuevas páginas webs de contenido adulto. Estaba claro que una industria de algo tan controvertido y con estadísticas tan impresionantes se convertiría a la larga en foco de debate.

Por un lado están los que defienden la industria de la pornografía, que creen que es algo natural y a lo que debería poder acceder cualquier persona adulta cuando quiera. Además, piensan que es un negocio totalmente lícito, que puede generar grandes ingresos económicos. Ellos justifican la pornografía diciendo que es una forma de arte y de libertad de expresión que necesitamos proteger.

Por otro, encontramos a otras personas que **por el contrario** están en contra de ella y que creen que es un problema muy grave. Consideran que detrás de la pornografía se encuentran muchos negocios turbios que rayan la ilegalidad y que generan un dinero muchas veces no demasiado limpio.

Por mi parte, estoy entre los que defienden que es un problema cada vez más serio. Considero que el acceso a este tipo de material es demasiado fácil, puesto que ahora, todo el mundo puede acceder a la pornografía con un solo clic de ratón, sin importar la edad ni el interés por ese contenido; de pronto, la publicidad pornográfica invade tu pantalla, sin quererlo o buscarlo. Reconozco que no es fácil tratar de prohibir en Internet una industria tan enorme y poderosa, pero creo que deberían tomarse medidas para que el acceso a este tipo de material en la red fuera más difícil. Ahora, muy fácilmente, un niño puede acceder a ella sin proponérselo o sin que lo sepa un adulto. Y aunque algunas personas creen que es una forma de arte y de libertad de expresión, también es obvio que la pornografía puede generar graves problemas, como abusos, falta de privacidad... y mucho más.

Para terminar, como la tecnología está siempre avanzando e Internet cada vez es más utilizado, no creo que la pornografía deje ese mercado nunca. Pero sí espero que, en el futuro, se encuentren formas más eficaces de protección y control del contenido adulto en la red.

▶ Fíjate en los conectores en negrita que sirven para ordenar el discurso. ¿Podrías clasificarlos?

Comienzo del discurso	Cierre del discurso	Opinión	Oposición

▶ ¿En qué apartado clasificarías los siguientes: **Por una parte - Por otra - Por último - Primeramente - En mi opinión - Ante todo - Para concluir, diré que... - En contraste - A mi entender - Finalmente**?

▶ Piensa tú ahora en un tema controvertido socialmente y haz tu artículo de opinión. Aquí tienes algunos temas: el derecho al aborto libre, la eutanasia, los matrimonios homosexuales, las prohibiciones de símbolos religiosos...

Tema 8

TENDENCIAS DEL ARTE HISPANO MODERNO

Lo estético, lo que se considera bello o lo que se cataloga como artístico parece que no tiene fronteras nacionales o que las rompe, parece ser un valor humano universal. Sin embargo, es fácil identificar una producción artística de una nacionalidad. Lo hermoso en una cultura puede no serlo en otra. Conocer las pautas estéticas de una sociedad en la actualidad es conocer sus valores y sus gustos plásticos, literarios o musicales, es valorar su cultura.

¿Qué es cultura? ¿Qué hace que un objeto sea considerado obra de arte y otro no? ¿Existe un único criterio artístico? Lee estas definiciones y crea la tuya. Luego, observa los objetos e indica cuáles consideras obras de arte y cuáles no. ¿Por qué?

Es una actividad que requiere de un aprendizaje y a su vez puede limitarse a una habilidad técnica o ampliarse hasta el punto de incluir una visión particular del mundo.

Es el talento o habilidad que se requiere para ejercer una actividad literaria, musical, visual o de puesta en escena.

El arte involucra tanto a las personas que lo practican como a quienes lo observan; la experiencia que vivimos a través del mismo puede ser de tipo intelectual, emocional, estético o bien una mezcla de todos ellos.

Es una manifestación de la actividad humana mediante la cual se expresa una visión personal y desinteresada que interpreta lo real o imaginado con recursos plásticos, lingüísticos o sonoros.

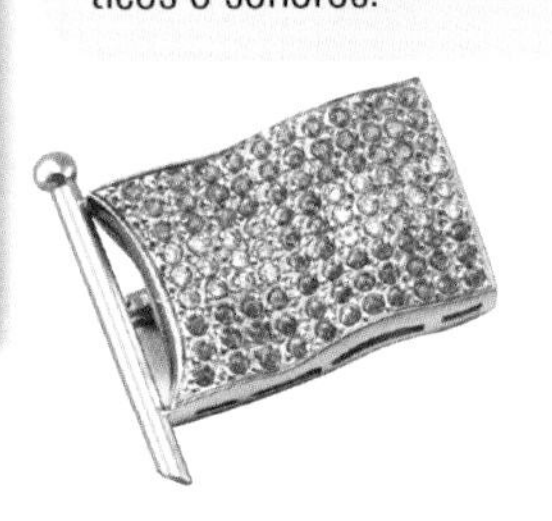

8 TEMA

TENDENCIAS DEL ARTE HISPANO MODERNO

A ARTE EN SU ESTADO PURO

Escucha esta audición sobre algunos artistas españoles muy relevantes actualmente y relaciona sus nombres con las obras.

Infórmate

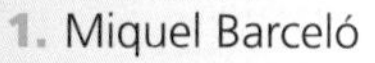

1. Miquel Barceló
2. Antoni Tàpies
3. Joan Brossa
4. Eduardo Chillida
5. Susana Solano
6. Cristina Iglesias
7. Juan Muñoz
8. Joan Fontcuberta
9. Chema Madoz
10. Alberto García-Alix
11. Cristina García Rodero

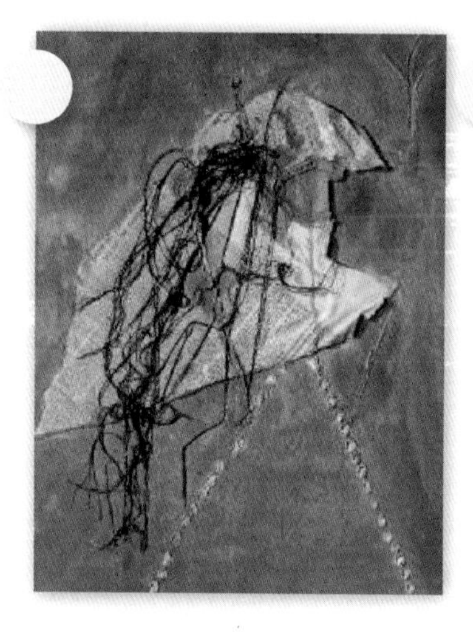

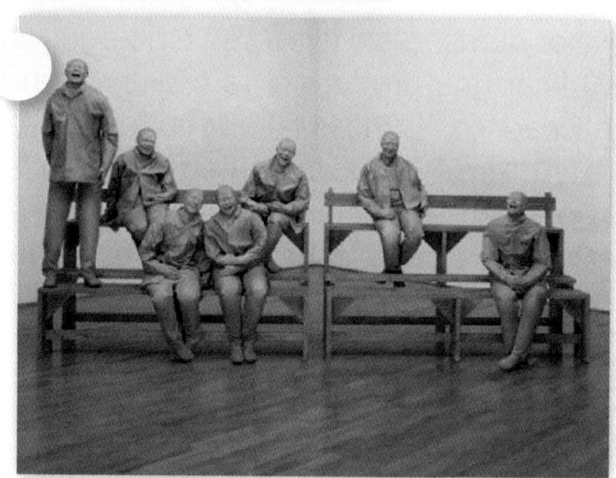

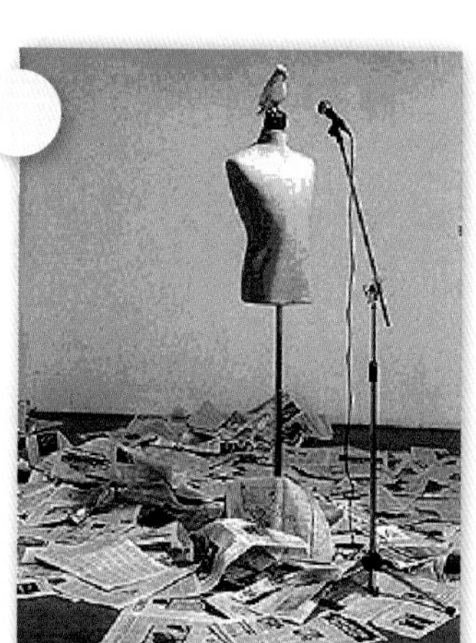

B LAS FORMAS REDONDEADAS DE BOTERO

Lee el siguiente texto y di si las afirmaciones son verdaderas o falsas. En caso de que sean falsas, corrige con la respuesta adecuada.

Biografías y Vidas

Los reportajes de Biografías y Vidas

FERNANDO BOTERO

La obra del colombiano Fernando Botero merece un reconocimiento unánime. Aunque es un artista de formación autodidacta, en su pintura se pueden encontrar influencias florentinas, una fuerte presencia de la pintura colonial y popular de la Colombia del siglo XIX, además de la influencia de la escuela muralista.

El rasgo más peculiar de su obra, que hace inconfundibles sus cuadros y esculturas, es su particular idea de los volúmenes. En sus cuadros, las figuras protagonistas sufren un agrandamiento que resulta desmesurado para el reducido espacio pictórico en el que se encuentran. Botero engorda sus volúmenes y quita fondos y perspectivas. También la escala de figuras es arbitraria, pues varía de acuerdo a la importancia temática y compositiva.

La imagen deformada, que puede llevar a su pintura al terreno de lo satírico, es el componente de humor crítico que expresan sus lienzos y que no deja de ser una crítica a la sociedad actual. Por otra parte, esta pintura de lo voluminoso se combina con un gran virtuosismo técnico, percibiéndose en el trasfondo de sus obras la pintura de Velázquez y de Goya. Respecto a la caricatura que se puede encontrar en sus pinturas el artista dijo: «Deformación sería la palabra exacta. En arte, si alguien tiene ideas y piensa, no tiene otra salida que deformar la naturaleza. Arte es deformación; mis temas son satíricos a veces, pero la deformación no lo es, pues yo hago lo mismo con las naranjas y los plátanos y no tengo nada contra esas frutas».

Botero es un artista plenamente latinoamericano. Sus grandes temas siempre han tenido la presencia del país. Podemos encontrar a Colombia de manera física (pueblos, montañas, banderas y bares) o cultural (vírgenes, santos, presidentes, prostitutas, monjas o militares), se la puede intuir incluso dentro de sus versiones de las grandes obras de la pintura universal.

El baño

La viuda

Mona Lisa

Infórmate

1. Botero es un artista autodidacta totalmente original.
2. Sus figuras tienen un volumen adecuado para el espacio del cuadro.
3. Los protagonistas de los cuadros pueden recibir diferentes tamaños dependiendo de la importancia en la obra.
4. Su estilo pictórico es sencillo, sin apenas técnica pictórica.
5. En su pintura se nota una fuerte presencia de sus raíces.

Da tu opinión

¿Te gustan las pinturas de Botero?

¿Cuál es tu pintor favorito? Explica por qué.

TENDENCIAS DEL ARTE HISPANO MODERNO

Reflexiona y practica

1 Los relativos

Conoce otros relativos.

El que La que Los que Las que	▶ **Se utiliza para objetos, lugares y personas.** *La foto con la que gané el premio es de Burgos. / El museo al que fui es enorme. / El pintor al que le encargué el cuadro es mexicano.* ▶ **Si aparece junto a su antecedente necesita, llevar delante una preposición.** *El cuadro del que te hablé está en este museo.* ▶ **Si no lleva antecedente, aparece al principio de la frase y funciona como sujeto.** *El que me explicó las técnicas de Picasso fue mi padre.*
Quien Quienes	▶ **Funciona como *el que*, pero se usa en un registro formal y siempre referido a personas.** *El coleccionista, con quien hice el trato, me engañó. / Quien no conoce a Velázquez, no sabe lo que es un pintor de reyes.*
Lo que	▶ **Lo usamos cuando nos referimos a algo que es toda una oración, a algo genérico. Puede ir con o sin preposición.** *Con todo lo que te he explicado, puedes hacer ya un boceto. / Lo que busco es diferente.*
Donde	▶ **Lo usamos para referirnos a un lugar. Puede ir con o sin preposición delante.** *Este es el museo donde conocí a Pedro. / En este lugar es adonde voy para relajarme.*
El cual La cual Los cuales Las cuales	▶ **Siempre va con antecedente y detrás de preposición. Es más culto y formal, por eso no se usa demasiado en la lengua hablada, a no ser que tenga un valor continuativo.** *El estilo, por el cual se ha movido, no es muy clásico.*

2 Un poco de práctica

Después de ver los diferentes relativos, elige el adecuado en cada una de las siguientes frases.

1. Las exposiciones a .... he ido nunca me han impresionando tanto como esta.
2. No me llamaron personalmente para invitarme. Es por esto por .... no voy a ir.
3. Me gustaría que fuéramos a ver una instalación en .... se ven diferentes figuras humanas.
4. ¿Has hablado con el chico .... le ha pintado un cuadro a Laura?
5. .... no entiendo es por qué no le contestaste que no estabas de acuerdo.
6. .... te hayan oído van a pensar que eres una entendida en arte.
7. La habitación, en .... tengo el Sorolla, es mi despacho.
8. Siempre hace .... quiere, y va .... quiere. No hay quien pueda con él.
9. .... saben dónde está el verdadero arte nunca van a este tipo de exposiciones.
10. Todo .... he aprendido estos años, se lo debo a él.
11. .... han hablado muy bien son Artistas sin Fronteras. Me ha gustado su discurso.

3 Confirma tus conocimientos

Marca la opción correcta.

1. Las fotografías de autores con que / que no sean conocidos van a la otra sala.
2. Es un fanático de la arquitectura; todos los libros los que / que tiene en sus estanterías son de construcciones de arquitectos renombrados.
3. He visto una escultura a la que / que le faltan los brazos.
4. Las fiestas donde / que se hacen después de la inauguración de una exposición son sorprendentes.
5. He visto que estabas hablado con el pintor que / quien ganó un premio hace poco.
6. A la subasta, a la que / donde compró el cuadro de Juan Gris, acudió mucha gente.
7. Voy adonde / en donde quieras, pero con una condición: que estemos de vuelta a las 10.
8. Quien / Quienes hayan hecho estas fotos han tenido una idea genial, ¿a que sí?
9. He visto a la chica con la que / que bailé en la fiesta de fin de curso.
10. Picasso, el cual / el que me gusta un montón, tiene un museo en la ciudad... ¡y no voy a poder ir!

El cuadro de tu vida

¿Recuerdas cómo es el cuadro que más te gusta? Explícale a tu compañero qué aparece y cómo es la pintura. Si no recuerdas ninguno, usa uno de los que aparecen en la lección.

Reflexiona y practica

4 Formación de palabras

Para formar sustantivos abstractos (femeninos) usamos sufijos. Mira los ejemplos y prueba a formarlos tú solo.

OSCURO → OSCURIDAD
BUENO → BONDAD
Se parte de un adjetivo.

GENEROSO	→	....
ADVERSO	→	....
AMIGO	→	AMIST.............
REGULAR	→	....
LONGEVO	→	....
FALSO	→	FALSE.............
NACIONAL	→	....
TRANQUILO	→	....
ETERNO	→	....

También se utilizan sufijos para convertir sustantivos en adjetivos. Observa el cuadro y luego intenta formar adjetivos para los nombres de la derecha.

PESAR → PESAROSO
Se parte de un nombre.

BONDAD	→	....
MENTIRA	→	....
SUDOR	→	....
CALOR	→	CALU.............
VANIDAD	→	....
MIMO	→	....
CELOS	→	....
AMOR	→	....

5 Creación de palabras

Completa con uno de los sustantivos o de los adjetivos vistos.

1. Era un hombre muy .... Siempre ayudaba a los demás.
2. Me encanta el campo por su ...., por su relajo.
3. Mi novio está .... solo porque bailé con aquel chico.
4. A lo largo de la historia el hombre ha buscado la ...., vivir muchos años.
5. En su búsqueda de la verdad se topó con numerosas ....
6. Subió los escalones saltando de dos en dos, y llegó arriba muy ....
7. Le juré que le querría para toda la ....

6 Es tirando a...

Para hablar de colores se utilizan expresiones como *Esto es tirando a azul claro*, o se añaden palabras para definirlo: *verde pistacho/manzana/botella/mar, amarillo limón/canario, gris perla, azul cielo/marino*, etc. Otra forma es añadir sufijos o el prefijo *a-*. Observa:

Rosa	→	rosáceo /rosado
Azul	→	azulado
Gris	→	grisáceo
Amarillo	→	amarillento
Blanco	→	blanquecino

Rojo	→	rojizo
Naranja	→	anaranjado
Marrón	→	amarronado
Verde	→	verdoso
Negro	→	negruzco

interactúa

¿De qué color son

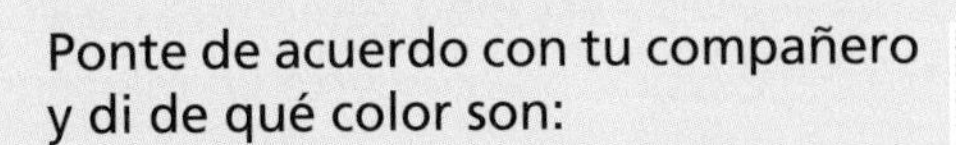

Ponte de acuerdo con tu compañero y di de qué color son:

las orejas de los conejos por dentro / las aguas de un lago con algas en el fondo / la hierba en verano / las mejillas de un bebé / el cielo al anochecer / las hojas de un libro muy viejo / las aguas del mar / un trozo de carbón / la luna / tus ojos

TENDENCIAS DEL ARTE HISPANO MODERNO

Así se habla

Los colores de la paleta.

1 ¿Sabes utilizarlos en expresiones de la vida cotidiana? Haz ejemplos.

- Ponerse o estar rojo / colorado.
- Quedarse en blanco.
- Ponerse negro.
- Estar negro.
- Ser un poco verde / Ser un viejo verde / Contar un chiste verde.
- Estar verde.
- Ser verde (del partido verde).
- Dar luz verde.
- La media naranja.

«Colorea» las oraciones.

2 Completa estas frases con las expresiones vistas.

- Michel quiere sacarse el carné de conducir, pero no ha conducido nunca. Está muy ....
- Cuando me dieron la noticia de su muerte, me afectó mucho. Me quedé ....
- Le he echado de casa, pero nunca viene a recoger sus cosas y a mí eso me pone ....
- Raquel es muy romántica y cree que existe su media ....
- Aquel día estabas un poco .... y te pusiste a contar chistes ....
- Lo de Eduardo con el sol es curioso. Primero se pone .... y al día siguiente está ....
- Santiago siempre está muy pendiente de lo que usa para no contaminar. Es de los ....
- Cuando Ángel la sacó a bailar, se puso muy ....
- Dieron luz .... al proyecto, y empezamos a trabajar en él inmediatamente.

Más expresiones.

3 Relaciona.

1. DAR EN EL BLANCO.
2. QUEDARSE EN BLANCO.
3. ESTAR SIN BLANCA.
4. PONERSE AMARILLO DE ENVIDIA.
5. PASARLAS NEGRAS / MORADAS.
6. TENER LA NEGRA.
7. PONERSE MORADO.
8. PONER VERDE A ALGUIEN.
9. COMERSE UN MARRÓN.
10. ESTAR COMO UNA ROSA.

a. Tener una racha de mala suerte.
b. Olvidarse de todo y no poder pensar, normalmente porque estás nervioso.
c. Tener buen aspecto y con buena salud.
d. Pagar por algo que ha hecho otra persona.
e. Criticar a alguien.
f. Sentir mucha envidia por alguien o algo.
g. Pasar por un apuro; pasar un mal trago, un mal momento.
h. No tener nada de dinero.
i. Acertar, adivinar.
j. Comer mucho y con ganas, disfrutando.

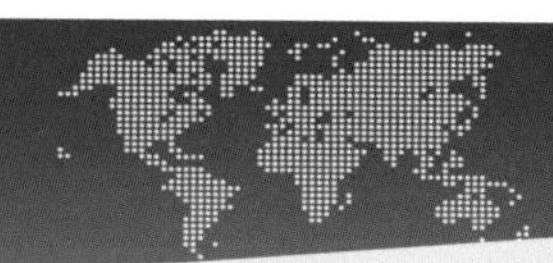

interactúa

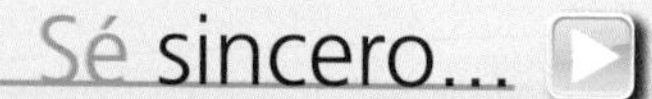

... y cuéntale a tu compañero:

- ¿Cuándo fue la última vez que las **pasaste negras / moradas**?
- ¿Alguna vez **te quedaste en blanco** en un examen?
- ¿A qué proyectos te gustaría que el gobierno de tu país **diera luz verde**?
- ¿Qué debe hacer la gente para llegar a la vejez **estando como una rosa**?
- ¿Alguna vez en el trabajo o en tu casa has tenido que **comerte un marrón**?
- ¿A qué personaje conocido **pondrías verde** y por qué?
- ¿Alguna vez **te has quedado sin blanca** en un momento inoportuno?
- Explica la última vez que **te pusiste morado**.

TENDENCIAS DEL ARTE HISPANO MODERNO

Mostrar preferencias

Exprésate

En parejas, imagínate que tienes una importante galería de arte en donde se exponen y subastan las obras de grandes artistas. Tu compañero es un rico coleccionista que quiere comprar una obra. Se fija en las 6 obras siguientes, pero tú quieres convencerle para que se lleve una determinada (que pensarás previamente). Explica las obras usando tu imaginación y trata de convencerle para que se lleve tu preferida.

1 Francisco Leiro *Don Quijote apaleado por unos arrieros*

2 Luis Feito *Celebración*

3 Juan Manuel Castro Prieto *Camino del Chillo*

4 Jorge Oteiza *Caja Metafísica*

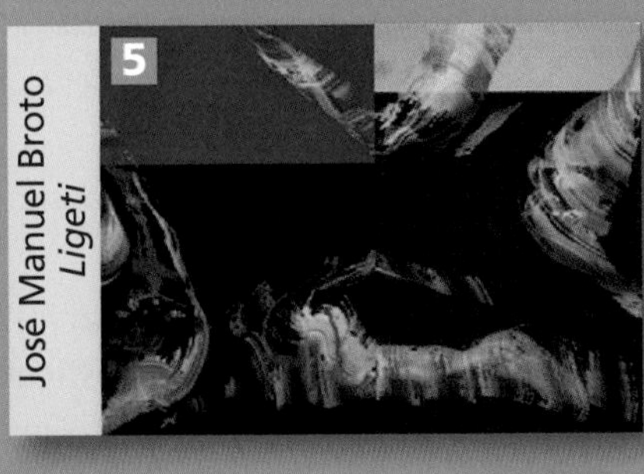

5 José Manuel Broto *Ligeti*

6 Carlos Pérez Siquier *Cabo de Gata*

Debate

En grupos o en parejas, debate sobre los siguientes temas:

- El arte clásico es mejor.
- El arte es creación y por eso debe ser tan caro.
- Hay arte en todas partes: los *graffities*, tatuajes, jardines, moda, etc.
- El arte moderno es mejor.
- El arte es cultura y debe estar al alcance de cualquiera.
- Solo debe considerarse arte lo que está en los museos.

Da tu opinión

¿Qué función tiene el arte en la sociedad? ¿Debería promocionarse más? ¿Debería ayudarse más a los artistas?

¿Los gobiernos deberían comprar las obras de los grandes artistas para que no se queden en manos de particulares?

¿Crees que hay algunas técnicas que son más costosas que otras? Justifica tu respuesta.

Si fueras artista, ¿con qué material te gustaría trabajar y por qué?

PREPÁRATE PARA ESTE TEMA

DICCIONARIO

Para trabajar con este tema, revisa el léxico, comprueba las palabras que conoces, aprende las nuevas y realiza las actividades.

Tipos de artes

escénica
gráfica
industrial
literaria
musical
plástica

Artes plásticas

la arquitectura
la cerámica
el diseño
la escultura
la fotografía
la pintura

Las personas del mundo del arte

el / la arquitecto/a
el / la artista
el / la ceramista
el / la coleccionista
el / la crítico/a
el / la decorador/-a
el / la dibujante
el / la diseñador/-a
el / la escultor/-a
el / la fotógrafo/a
el / la galerista
el / la ilustrador/-a
el / la mecenas
el / la pintor/-a
el / la retratista

1 Relaciona las siguientes actividades artísticas con el tipo de arte.

1. alta costura
2. cabaré
3. catedral
4. cuadro
5. etiqueta
6. fuente
7. grabado
8. guiñol
9. joyería
10. porcelana
11. póster

a. arte plástico
b. arte musical
c. arte gráfico
d. arte industrial

Actividades artísticas

colorear
componer
construir
crear
desarrollar un estilo
dibujar
diseñar
esculpir
imaginar
inspirarse
pintar
representar

2 Describe lo que hacen dos artistas.

PREPÁRATE PARA ESTE TEMA

Material para pintar y dibujar

la acuarela
el caballete
el carboncillo
el compás
la goma
el lápiz
el óleo
la paleta
el pincel
la regla
el rotulador
el sacapuntas
la témpera

Tipos de pinturas y esculturas

el boceto
el bodegón
el busto
el cuadro
de cuerpo entero
la estatua
el grupo escultórico
la instalación
el mural
el paisaje
el retrato

Lugares para el arte

la colección particular
la exposición
la feria de arte
la galería de arte
la muestra de arte
el museo
la pinacoteca
la subasta
el taller

Fotografiar

el álbum de fotos
apretar el botón
la cámara digital
el carrete
disparar
enfocar
enmarcar
el *flash*
el fondo
la fotografía en color / en blanco y negro
hacer un plano
hacer una ampliación
imprimir
el primer plano
el retrato
revelar
sacar fotos
el zum

Expresión escrita

Tienes que preparar una exposición de tres minutos. Elige uno de los temas y prepara por escrito tu ponencia:

- Describe una obra de arte que te encanta, que te ha impresionado o que te sorprende por algún motivo.
- Define qué es el arte y qué características tiene que tener una obra para poder decir que es artística.
- ¿Qué opinas de esta frase?: «El arte contemporáneo es una tomadura de pelo, ni es arte, ni tiene ningún mérito, ni es bonito. Lo que se hacía antes sí era verdadero arte».

TALLER DE LECTURA

Lee el siguiente texto y responde a las preguntas.

La Hipótesis del Relativismo Lingüístico (HRL) afirma que existen aspectos de nuestro procesamiento cognitivo que se ven afectados por la lengua que hablamos. Uno de los ejemplos iniciales ofrecidos por la HRL es el caso de los colores. El **espectro de luz** reflejado por los objetos, lo que conocemos por color, es segmentado por cada lengua de manera diferente. [1]

Estas distinciones son culturales, y, según la versión de la HRL, cada lengua/cultura fuerza así un tipo de percepción **cromática** distinta, basada en sus peculiaridades de categorización.

En 1970 se realizaron experimentos comparando hablantes de dani (una lengua de Nueva Guinea que tan solo tiene dos nombres para los colores) y hablantes de inglés (con muchas más distinciones). En estos experimentos, los hablantes de ambas lenguas se comportaron exactamente igual a la hora de categorizar una serie de fichas de colores. Se comprobó así que la percepción cromática de los seres humanos no se ve influida por el número de palabras de color que tenga su vocabulario. Esto se adujo como prueba de que la HRL estaba fundamentalmente equivocada y el lenguaje no afecta a la percepción.

Recientemente, el interés en la relación entre percepción cromática y lengua ha resurgido. Algunos investigadores (2007) enseñaron a sus **sujetos** experimentales triadas de colores de la **gama** del azul. Su tarea era decidir cuál de dos colores (el de la izquierda o el de la derecha) era igual al color presentado más arriba. Los cuadrados estaban tomados de una gradación de colores de la gama del azul. De manera crucial, esto se realizó con hablantes de inglés y hablantes de ruso: para los hablantes ingleses, las 20 variantes pertenecen al color «azul»; para los hablantes de ruso, los 10 primeros son un color (*siníy*) y los 10 últimos, del 11-20, son otro (*golubóy*).

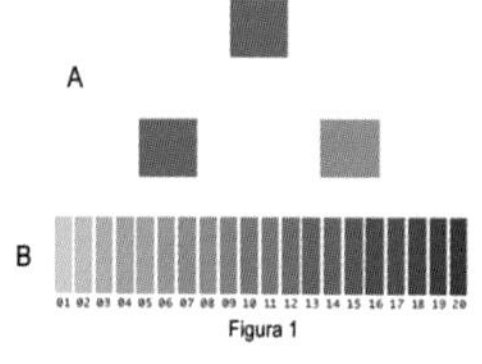

Figura 1

Pues bien, al ir comparando los tiempos de reacción al **discriminar** pares adyacentes de esta gama, no hubo diferencia por parte de los ingleses: tardaban lo mismo en comparar el par 1-2 que el 9-10 o el 16-17. Sin embargo, los hablantes de ruso eran mucho más rápidos discriminando pares cuando ambos pertenecían a categorías diferentes (es decir, cuando uno era *siníy* y el otro *golubóy*). [2]

Otro grupo de científicos (2007) presentaron a sus sujetos 12 cuadrados de colores dispuestos en un círculo; 11 eran iguales y uno distinto. La tarea consistía en detectar si el color distinto estaba a la derecha o a la izquierda del punto de fijación central. De nuevo, los sujetos eran más rápidos reconociendo colores pertenecientes a categorías distintas (p. ej., 11 azules y un verde) que pertenecientes a la misma categoría (p. ej., 11 azules y un azul distinto), aunque la distancia cromática fuera la misma. Pero además, este efecto de percepción era mucho mayor en el Campo Visual Derecho (CVD) que en el izquierdo. La información del CVD se representa en el **hemisferio** izquierdo del cerebro, el dominado por el lenguaje. [3]

Finalmente, en otra investigación (2008) se dice haber encontrado evidencia neurofisiológica a favor de la HRL, también en tareas de discriminación cromática. Los sujetos tenían que decidir si dos colores eran iguales o no. Esta tarea la hacían con colores «fáciles de nombrar» (blanco, rojo) y colores «difíciles de nombrar» (*beige*, anaranjado...). Al examinar su actividad cerebral encontraron que, cuando los colores tenían una etiqueta léxica accesible, se activaban además zonas del cerebro responsables de la búsqueda de palabras (a pesar de que en ningún momento se les pedía que nombraran los colores, sino que dijeran si eran iguales o no), mostrando así la conexión entre procesamiento lingüístico y percepción cromática a nivel cerebral.

1 Del texto se han extraído diferentes fragmentos. ¿Puedes colocarlos en el lugar adecuado de los señalados en el texto [1-3]?

a. Curiosamente, al replicar este experimento con bebés de 4-5 meses (rastreando sus movimientos oculares), se ha encontrado que ellos muestran este efecto en el hemisferio contrario, el derecho. Esto puede ser interpretado como que, una vez que el lenguaje está presente, toma parte en las tareas de discriminación perceptual (en este caso, de discriminación cromática).

b. Más tarde, estos resultados, además de replicarse, se han ido refinando. Se ha descubierto que estos juicios de «percepción categorial del color» (PCC; el efecto en que dos colores que pertenecen a categorías distintas se discriminan más rápido o con más precisión que dos colores que pertenecen a la misma categoría) se dan con mucha mayor fuerza en el hemisferio izquierdo del cerebro, el encargado de las tareas lingüísticas.

c. en ruso, por ejemplo, existen dos colores diferentes para lo que nosotros llamamos «azul», correspondientes aproximadamente al «azul cielo» (*golubóy*) y al «azul marino» (*siníy*). Lo mismo ocurre en italiano, que tiene las variantes *azurro* y *blu*. En navajo, hay un solo color para un rango que nosotros dividimos en dos: el azul y el verde. Otras lenguas combinan en solo dos términos («claro» y «oscuro») hasta 12-14 colores.

2 En el texto hay unas palabras señaladas. ¿Podrías relacionarlas con sus definiciones?

a. escala o gradación de colores
b. persona, individuo
c. cada una de las dos mitades, izquierda y derecha, del cerebro
d. banda de colores resultante de la descomposición de la luz blanca
e. seleccionar excluyendo
f. perteneciente o relativo a los colores

3 Contesta a las preguntas:

a. ¿Qué pretende demostrar la Hipótesis del Relativismo Científico con respecto a los colores?
b. ¿Por qué esta hipótesis fue refutada tras los experimentos de 1970?
c. En el año 2007 se llevaron a cabo otras dos pruebas. En la primera, ¿los hablantes rusos y los hablantes ingleses identificaron la gama de colores acertadamente?
d. ¿Qué información nueva aporta la segunda prueba con respecto a la primera?
e. ¿En qué consistió la prueba realizada en el año 2008?
f. ¿Crees que estas pruebas son suficientes para demostrar la Hipótesis del Relativismo Científico? ¿Qué implicaciones crees que puede tener el asumir esta hipótesis?

4 Para hablar:

- Dicen los lingüistas que los esquimales tienen 30 términos que en español se traducen con solo uno: «blanco». Esto se debe a que para los habitantes del Círculo Ártico distinguir entre diferentes tonos de lo que para nosotros es un solo color es crucial en su vida diaria... ¿Conoces otros ejemplos de realidades que sean clasificadas de un modo diferente de un idioma a otro?
- ¿Conoces palabras en tu idioma cuyo significado, matiz de significado o sensación tengas dificultades para nombrar en español, o viceversa?
- ¿Crees que las palabras ayudan a conocer y a comprender la realidad?
- ¿Crees que tu idioma materno influye en tu manera de pensar y de ver el mundo?
- ¿Reproducen los idiomas la cultura de sus hablantes?

LA ENTREVISTA

En grupos de 4, prepara una entrevista a uno de vuestros compañeros o a una persona de vuestro entorno que os resulte interesante. Para ello, seguid los siguientes pasos:

1. PREPARACIÓN

- Decide a quién le vas a hacer la entrevista.
- Piensa detenidamente las preguntas que vas a hacer, el tiempo disponible y el orden.

2. CONVERSACIÓN

- Comienza con un saludo.
- El periodista debe en todo momento orientar la dirección de la entrevista.
- Puedes hacer fotos al entrevistado para ilustrar la entrevista. Si queréis, también podéis pedirle permiso para grabarla.

LA ENTREVISTA PERMITE UN ACERCAMIENTO DEL PÚBLICO A UN PERSONAJE DE INTERÉS

3. ESCRITURA

- Debe resultar natural (aunque esté meticulosamente preparada). Con este fin, el periodista puede recortar o cambiar el orden de lo dicho.
- Se redacta un titular (que puede ser una frase del entrevistado), y un texto previo que presenta o describe al entrevistado, o da las razones para la entrevista.
- Con la respuesta a nuestras preguntas podemos añadir los estados de ánimo, gestos y reacciones del entrevistado.

4. PUBLICACIÓN

- Si quieres publicarlo en una revista del centro donde estudiáis, antes tienes que pensar en el tipo de letra que vas a usar, y en la disposición de la entrevista y fotos en el espacio que hay para que resulte atractiva visualmente.

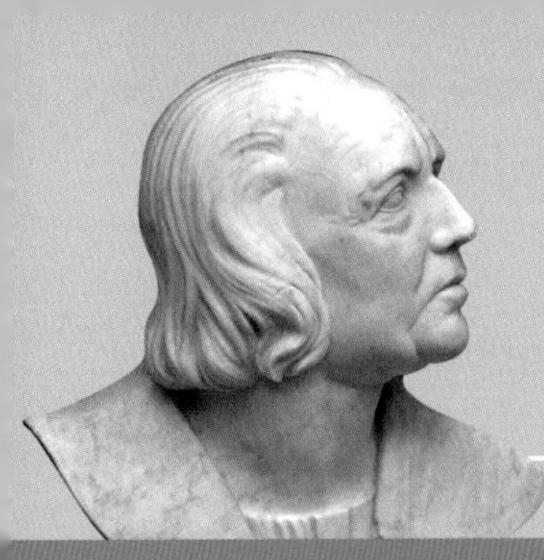

Tema 9

PERSONAJES DE LA HISTORIA HISPANA

Los grandes personajes de la historia de una sociedad se convierten en sus héroes o en sus demonios, son sus referentes culturales más destacados. No dejan indiferente a nadie. Conocerlos es descubrir la identidad nacional.

- **Infórmate:** Los personajes de una historia
- **Reflexiona y practica:** Las oraciones finales y usos de *por* y *para*
- **Así se habla:** Expresiones coloquiales con historia
- **Tertulia:** El personaje histórico más importante
- **Taller de lectura:** La monja alférez
- **Taller de escritura:** La biografía

¿Conoces a los grandes personajes de la historia de los países hispanos? ¿Qué sabes de ellos? ¿Sabes por qué son recordados? Haz este test sobre la cultura hispana. ¿Puedes hacer uno similar sobre los personajes de la historia de tu país?

Una de las opciones es falsa, encuéntrala.

1. Los Reyes Católicos...

a. Unieron por primera vez los territorios que formaron España.
b. Crearon la Inquisición para proteger la religión católica.
c. Expulsaron a todos los judíos de España que, a partir de entonces, se les llama *sefardíes*.

2. Francisco Pizarro...

a. Fue un hombre español que quería ampliar su fortuna yendo a América.
b. Conquistó los territorios del Imperio inca y creó el virreinato del Perú.
c. Su estatua ecuestre está repetida en tres lugares: en Lima (Perú), en Trujillo (España, en su pueblo natal) y en Búfalo (EE. UU.).

3. Simón Bolívar...

a. Es conocido por ser el gran libertador de Sudamérica del imperio español.
b. Llegó a ser el presidente de Bolivia, Perú, Colombia y Venezuela.
c. Nunca quiso ir a España ni aceptó la autoridad española.

4. Eva Perón (Evita)...

a. Fue una cantante y actriz argentina que llegó a ser todo un símbolo político en Argentina.
b. Tuvo tres hijos, pero ninguno se dedicó ni a la política y a actividades artísticas, lo que le supuso mucha tristeza.
c. Es conocida por ser la defensora de los pobres a los que se dirigía con sus mejores ropas y joyas llamándolos *mis descamisados*.

5. Pancho Villa...

a. Fue un caudillo de la revolución mexicana.
b. Era íntimo amigo de Fidel Castro y de Ernesto *Che* Guevara.
c. Derrotó al que después sería el comandante general estadounidense en la Primera Guerra Mundial.

6. Juan Carlos I...

a. Es el responsable último de la transición política española, desde la dictadura de Franco a la actual democracia.
b. Fue presidente durante los últimos años de la dictadura de Franco, antes de ser nombrado rey.
c. El Palacio Real de La Granja (Segovia), donde nació, es hoy Museo Nacional de la Dinastía Borbón.

PERSONAJES DE LA HISTORIA HISPANA

Infórmate

A EL PERSONAJE HISTÓRICO ESPAÑOL

11 Escucha a estos dos chicos hablando de un nuevo programa de la tele. Marca qué resume lo que dicen.

- Hay un nuevo programa que elige al personaje español más famoso del año. La gente vota para seleccionarlo de entre las diferentes categorías.
- El nuevo programa que va a emitirse trata de la historia de España a través de diferentes personajes, como científicos, artistas, políticos, etc. Es un programa innovador que no se ha hecho en ningún país todavía.
- Se está emitiendo un nuevo programa para elegir al personaje histórico español más importante de todos los tiempos. El voto del público va a ser muy importante.

B ESPAÑOLES UNIVERSALES

Marca si las siguientes afirmaciones sobre estos personajes históricos son verdaderas o falsas. Después, escucha y comprueba.

Miguel de Cervantes

a. Murió exactamente el mismo día que Shakespeare. V F

b. Tenía el apodo de Manco de Lepanto porque en esta batalla sufrió una herida y tuvieron que cortarle la mano. V F

c. Estuvo en cautiverio en Argel durante 5 años. V F

Miguel Servet

a. Era un hombre culto, especialista en diferentes materias. V F

b. La Inquisición lo persiguió por sus teorías sobre la Santísima Trinidad. V F

c. Murió en la cárcel por defender sus ideas. V F

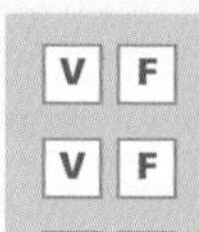

Severo Ochoa

a. Ganó el Premio Nobel de manera compartida. V F

b. Además de científico, dedicó parte de su vida a ejercer como médico. V F

c. Cuando estalló la Guerra Civil española, se marchó a Inglaterra. V F

Santiago Ramón y Cajal

a. Es el primer médico de su familia. V F

b. Fue herido en la guerra de Cuba. V F

c. Se le concedió el Premio Nobel por sus estudios sobre las neuronas. V F

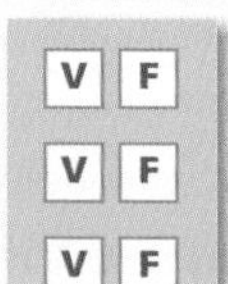

¿Cuáles son los personajes más importantes de tu país? ¿Qué hicieron?

Elige a uno y da todos los datos que puedas sobre él o ella.

C SON CONOCIDOS POR SUS OBRAS

Infórmate

Di lo que sepas de estos personajes de la historia de América y vincúlalos al momento histórico protagonizado. Después, en grupos, decide a qué personaje pertenece cada una de las afirmaciones de abajo.

1. Simón Bolívar
(1783-1830)
General venezolano

2. Pancho Villa
(1876/78-1923)
Comandante mexicano

3. Salvador Allende
(1908- 1973)
Presidente chileno

4. Ernesto *Che* Guevara
(1928-1967)
Guerrillero argentino

5. Evita Perón
(1919-1952)
Primera dama argentina

☐ **Primer presidente socialista que accedió al poder democráticamente.**
Luchó por sus ideas.

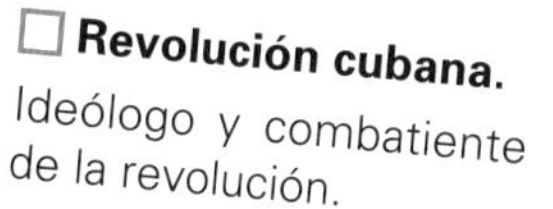

☐ **Revolución cubana.**
Ideólogo y combatiente de la revolución.

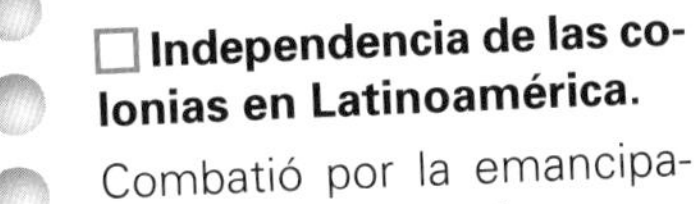

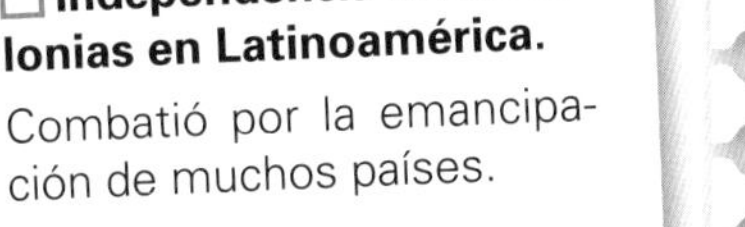

☐ **Independencia de las colonias en Latinoamérica.**
Combatió por la emancipación de muchos países.

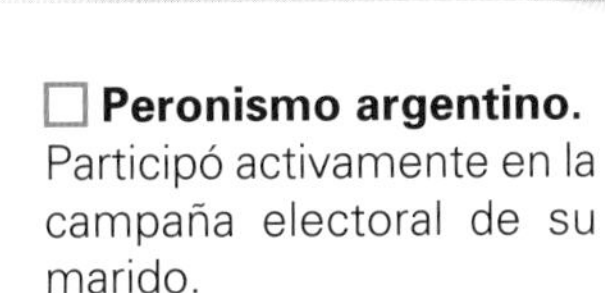

☐ **Peronismo argentino.**
Participó activamente en la campaña electoral de su marido.

☐ **Revolución mexicana.**
Su actuación fue decisiva para la derrota del régimen de Victoriano Huerta.

1. Antes de ser revolucionario, se cree que pudo ser fugitivo y miembro de una banda de bandoleros.
2. Su política de nacionalización de la industria causó el boicot de Richard Nixon contra su gobierno.
3. Le fue concedido oficialmente el título de *El Libertador.*
4. Su marido y ella lucharon por los trabajadores, y por la igualdad de derechos de la mujer.
5. Se le conoció como *El Centauro del Norte*, por estar al mando de la División del Norte mexicana.
6. Antes de ser política, era actriz.
7. El comienzo de su lucha fue paralelo a la Guerra de la Independencia española tras la invasión napoleónica.
8. Hay una canción sobre ella, *No llores por mí, Argentina*, y un musical interpretado por Madonna.
9. Su gobierno terminó con el golpe de Estado de Pinochet.
10. Murió asesinado en una emboscada en Chihuahua.
11. Soñaba con reunir a varios países por la misma causa: una confederación que uniera a todas las antiguas colonias españolas.
12. Luchaban para frenar los abusos de los dueños de las haciendas sobre los campesinos.
13. Defendía el poder de las guerrillas para cambiar el mundo.
14. Es tío lejano de la escritora Isabel Allende.
15. Mucho se ha hablado de su muerte, algunos dicen que se suicidó al conocer que le deponían del gobierno y otros, que fue asesinado por los golpistas.
16. Su figura se ha convertido en el símbolo de la rebeldía y espíritu incorruptible.
17. Tras la revolución cubana, siguió su lucha en Bolivia, donde lo asesinaron.

Con tus compañeros, crea un gran póster con un cuadro cronológico de los momentos más importantes de la historia de la humanidad y sus personajes más representativos.

PERSONAJES DE LA HISTORIA HISPANA

Reflexiona y practica

1 Oraciones finales

Observa el siguiente cuadro con expresiones para expresar finalidad y fíjate en los ejemplos.

Para + infinitivo

- Se usa para expresar finalidad cuando el verbo principal y el verbo de la oración final tienen el mismo sujeto.
  En el siglo XV la reina Isabel se casó con Fernando, el rey de Aragón, para unificar los reinos de Castilla y Aragón.

Para que + subjuntivo

- Se usa cuando el verbo de la oración principal y el verbo de la oración final tienen sujetos distintos.
  La Inquisición, traída a la Península por los Reyes Católicos, no dudaba en utilizar las torturas peores para que sus víctimas confesasen lo que a ellos les interesaba.
- Algunos verbos pueden utilizarse con infinitivo porque por su significado se presupone un sujeto diferente: *escoger, designar, proponer, seleccionar…*
  Isabel la Católica escogió a su hija Juana la Loca para heredar el poderoso reino de Castilla.

A fin de, con el fin de, con vistas a, con la intención de, con el objeto de…

- Se utilizan de la misma manera que *para*, pero son más formales.
  Fernando el Católico buscó el control de las órdenes militares y creó la Santa Hermandad y la Santa Inquisición con la intención de conseguir el control sobre todo.
  Fernando llevó a cabo una hábil política con vistas a aumentar su poder y a su muerte (siglo XVI) su nieto Carlos heredó de él y de su padre un vasto imperio.

_A_ + infinitivo

- Se puede usar cuando el verbo principal es un verbo de movimiento que implica dirección: *ir, venir, llegar, subir, bajar…* cuando el verbo principal y el verbo de la oración final tienen el mismo sujeto.
  Felipe el Hermoso, marido de Juana la Loca y residente en Flandes, vino a gobernar España.

A que + subjuntivo

- Se puede usar cuando el verbo principal es un verbo de movimiento que implica dirección, cuando los sujetos de los verbos son diferentes.
  Carlos, el nieto de los Reyes Católicos, vino a que le nombraran rey de Castilla, pero debido a su corta edad, su abuelo quedó como regente.

2 Usos de las oraciones finales

Ahora lee estas cosas que sucedieron en esta misma época y transforma las oraciones utilizando oraciones finales. No necesitas utilizar toda la información.

La conquista de las islas Canarias se consiguió cuando los guanches -pueblo que habitaba las islas- firmaron en 1496 un acuerdo, después de perder en la guerra. → Para adherir las islas Canarias a su territorio, los Reyes Católicos tuvieron que vencer a los guanches. Para que los guanches firmaran el acuerdo, fue necesario que los Reyes Católicos les ganaran.

- Los Reyes Católicos querían unificar sus reinos religiosamente. Como medida, expulsaron a aquellos judíos que rehusaron convertirse al cristianismo y presionaron mucho a los musulmanes con el mismo fin.
- Fernando el Católico envió al Duque de Alba a Navarra. Quería conquistar este reino y así lo hizo.
- Isabel y Fernando conquistaron el Reino de Granada y repartieron territorios entre los nobles. Con ello consiguieron grandes recursos económicos y apaciguar a ciertos sectores de la nobleza.
- En 1476 crearon la primera policía estatal de Europa: la Santa Hermandad. Su finalidad era controlar el bandolerismo en los caminos.
- Los Reyes fueron casando a sus hijas con reyes europeos. El objetivo era conseguir alianzas con otros países.
- Designaron a Torquemada jefe del tribunal de la Inquisición. Él se encargó de los juicios.

3 Usos de *por* y de *para*

Fíjate ahora en algunos usos de *por* y *para*. Faltan algunos ejemplos. Búscalos en el texto que hay a continuación.

Por

- **causa, razón**
  No pude salir por la lluvia.
  Lleva un paraguas por si llueve.
  ....
- **lugar**
  a. lugar aproximado
  ....
  b. movimiento indefinido o a través de un lugar
  Iba a hacer footing *por el parque.*
- **tiempo**
  a. tiempo aproximado
  No sé cuándo volverá. Por el verano, supongo…
  b. periodos de tiempo periódicos
  ....
- **destinatario de algo inmaterial** (sentimientos a menudo)
  ....
- **opinión**
  ....
- **estar por** (objetos)
  indica que algo no está terminado
  ....
- **estar por** (personas)
  a. muestra la intención de hacer algo
  Estuve por darme la vuelta a buscar el libro.
  b. gustarte alguien
  Luis está por Vicki, ¿no lo sabías?
- **otros usos**
  a. en el lugar de alguien o algo
  ....
  b. medio con el que se hace algo.
  Te envío un mensaje por el móvil.
  c. precio
  Lo compré por 30 euros.
  d. ir a por algo (ir a conseguir o a buscar algo)
  Volví a casa a por un chubasquero.

Para

- **finalidad, fin**
  ....
- **lugar**
  el destino final o la dirección (hacia)
  ....
- **tiempo, tiempo límite**
  ....
- **destinatario de algo material**
  ....
- **opinión**
  Para mí, Marta no viene ya.
- **estar para** (objetos)
  suele usarse con *salir, empezar, llover, nevar, terminar.* Indica que algo va a pasar en un momento
  La revista está ya para salir.
- **no estar para** (personas)
  muestra que alguien no tiene ganas de hacer algo
  ....
- **otros usos**
  Valoración positiva o negativa
  Para guapo, Brad Pitt.
  Habla muy bien español para ser extranjero.
  Para lo que has hecho hoy, mejor te quedabas en casa.

Coloquialmente, cuando se habla rápido, la gente dice *pa* en vez de *para*.
Me voy pa Madrid mañana.

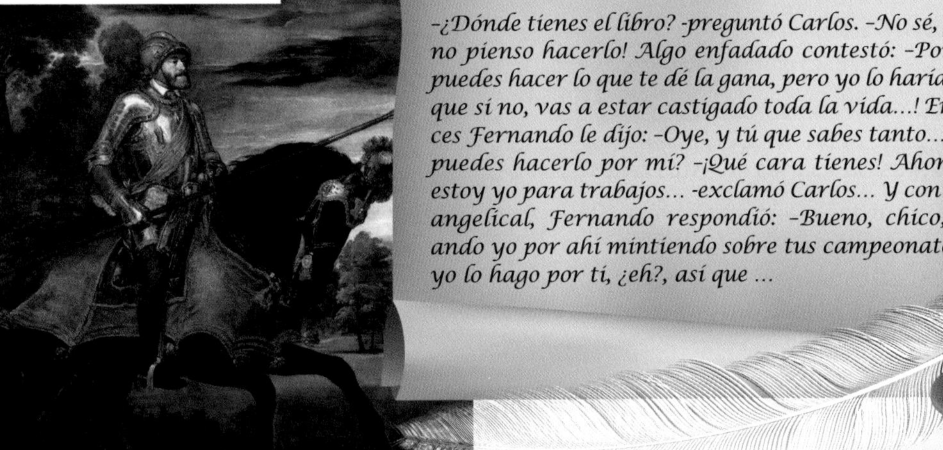

Mientras Carlos V salía de casa para un castillo cercano, oyó a su abuelo Fernando: «¡Tus quehaceres reales están por hacer!». Lo ignoró, había quedado con unos amigos para unas competiciones secretas de tiro al arco. Solían reunirse dos veces por semana, y esta vez quería quedarse con el trofeo para el ganador.

Mientras pasaba apresuradamente oyó su nombre. Era su hermano pequeño, Fernando, muy disgustado por un castigo de su maestro, ahora tenía que hacer un trabajo sobre los moriscos para el martes por la mañana.

-¿Dónde tienes el libro? -preguntó Carlos. -No sé, ¡pero no pienso hacerlo! Algo enfadado contestó: -Por mí, puedes hacer lo que te dé la gana, pero yo lo haría porque si no, vas a estar castigado toda la vida…! Entonces Fernando le dijo: -Oye, y tú que sabes tanto… ¿No puedes hacerlo por mí? -¡Qué cara tienes! Ahora no estoy yo para trabajos… -exclamó Carlos… Y con cara angelical, Fernando respondió: -Bueno, chico, ¿no ando yo por ahí mintiendo sobre tus campeonatos? Y yo lo hago por ti, ¿eh?, así que …

PERSONAJES DE LA HISTORIA HISPANA

Así se habla

Se armó la marimorena.

1 Relaciona las expresiones con su explicación e identifica la palabra para completar los textos.

1. Se armó la marimorena.
2. ¡Viva la Pepa!
3. A buenas horas, mangas verdes.
4. Estar en Babia.
5. Tirar de la manta.
6. Irse por los cerros de Úbeda.
7. No es moco de pavo.

.... es una localidad leonesa, a la que los reyes, en la Edad Media, solían retirarse a descansar, cansados de los asuntos de palacio y las intrigas de los nobles feudales.

Significado actual: Estar distraído y ajeno a la realidad.

Durante el reinado de los Reyes Católicos, se crearon los cuerpos de la Santa Hermandad para ayudar en cualquier tipo de emergencia. Vestían un uniforme de piel con .... Era famosa su impuntualidad, por lo que muchas veces llegaban cuando el problema ya había sido solucionado.

Significado actual: Expresa la tardanza en recibir una ayuda que se espera o un reconocimiento de algún mérito que no llega.

.... es como llamaba el pueblo a la Constitución de 1812, por haberse jurado el día de San José (José, coloquialmente, es Pepe). Fernando VII, cuando regresó al trono la abolió, se volvió a la monarquía absoluta.

Significado actual: Se dice en situaciones en las que se aprecia desenfado y jolgorio.

.... está situada cerca de Jaén. Durante la Reconquista, el rey Fernando III pidió ayuda a un noble para tomar la ciudad. El noble se presentó después de haberse hecho la toma, poniendo como disculpa que se había perdido por los cerros de dicha ciudad.

Significado actual: Divagar, cambiar de tema de conversación o contestar con algo que no tiene nada que ver con lo que se pregunta.

.... es como llamaba el hampa del siglo XVI y XVII a las cadenas que sujetaban los relojes de bolsillo (los pavos). Después de robarlos, solo quedaba la cadena (el moco) colgando.

Significado actual: Hace entender a alguien que el valor de una cosa es más importante de lo que él cree.

En el siglo XVI, había en Madrid una tabernera llamada ...., que se negó a vender las reservas de vino que tenía en su establecimiento. Eso le supuso un pleito muy largo con el Estado, que se hizo muy popular.

Significado actual: Indica que ha habido una gran pelea o bronca entre varias personas.

En el siglo XV, los judíos fueron expulsados de España, excepto los que se convirtieron al catolicismo. En Tudela (Navarra), para distinguir a las familias conversas del resto, se colgaban en las iglesias unos lienzos, llamados ...., con los nombres de estas personas. Si se quería saber el origen converso de alguien, solo había que buscar allí.

Significado actual: Revelar un secreto.

2 ¿Qué expresión usarías en estos casos?

- Estábamos tan tranquilos en ese bar, cuando entró un grupo y empezaron a insultar a otro grupo de gente que estaba allí. De pronto empezaron los empujones y los golpes. Tuvieron que llamar a la policía, ¡no veas!
- Aunque esta joya parece poco valiosa, cuesta mucho.

Crea junto con tu compañero otras situaciones en las que podrías usar estas expresiones.

PERSONAJES DE LA HISTORIA HISPANA

Explica

1. Los 20 personajes históricos más importantes de la historia que fueron elegidos por el programa *El español de la historia* fueron:

Exprésate

1. Juan Carlos I
2. Miguel de Cervantes
3. Cristóbal Colón
4. La reina doña Sofía
5. Adolfo Suárez
6. Ramón y Cajal
7. El príncipe Felipe de Borbón
8. Pablo Ruiz Picasso
9. Santa Teresa de Jesús
10. Felipe González
11. Isabel la Católica
12. Severo Ochoa
13. Federico García Lorca
14. José Luis Rodríguez Zapatero
15. Letizia Ortiz
16. Salvador Dalí
17. Antonio Gaudí
18. Rodrigo Díaz de Vivar (el Cid)
19. Alfonso X el Sabio
20. Fernando Alonso

Cada uno de vosotros deberá buscar información sobre uno de los personajes de la lista y explicar algún hecho destacado de su biografía al resto de la clase.

2. El centro en el que dais clase de español ha decidido dar a vuestra aula el nombre de un personaje ilustre español. Discutid en pequeños grupos quién es el español que debería representaros.

Para ello:

- Será necesario argumentar qué hechos importantes o qué rasgos de carácter del personaje van mejor con vuestro grupo.
- Más tarde ponlo en común con los otros grupos y expón vuestros argumentos.
- Haced una votación para elegir al personaje que representará a vuestra aula.

3. Mira estas fotografías sobre momentos históricos españoles. Descríbelas y, con ayuda del profesor, comenta en qué momento histórico crees que fueron tomadas y qué sensaciones pueden sentir los protagonistas.

Marzo 1937
Republicanos

Marzo 1979
Jornada electoral

Marzo 2004
11-M

PREPÁRATE PARA ESTE TEMA

Para trabajar con este tema, revisa el léxico, comprueba las palabras que conoces, aprende las nuevas y realiza las actividades.

Periodos históricos

la Edad Antigua
la Edad Contemporánea
la Edad Media
la Edad Moderna
la Prehistoria

1 Indica los siglos o los años de cada uno de los periodos.

2 Relaciona estos momentos con cada periodo.

a. el Siglo de Oro español
b. el Imperio romano
c. las pinturas rupestres de Altamira
d. el peronismo en Argentina
e. las luchas entre moros y cristianos

Prehistoria

los arcos y las flechas
la arqueología
el / la arqueólogo/a
el bronce
la cueva
el descubrimiento del fuego
el esqueleto
el hacha
nómada
el / la paleontólogo/a
la piel
rupestre
la tribu
la vasija
el yacimiento

3 Lee las definiciones e identifica las palabras.

a. Persona que investiga a partir de los restos encontrados: ....
b. Arma compuesta de un palo y un instrumento cortante: ....
c. Lugar con restos arqueológicos: ....
d. Restos humanos: ....
e. Persona que no tiene residencia fija: ....

Edad Antigua

la arcilla
el arma
el bloque de piedra
la calzada
el carro
la cerámica
la civilización
el / la emperador/-triz
el enclave
el / la esclavo/a
las grandes construcciones
el hierro y el acero
el ídolo
el imperio
la invención de la escritura
los metales preciosos
la mitología
la moneda
la muralla
el palacio
el papiro
el pictograma
la pirámide
la ruta
el / la sacerdote/-isa
sedentario
el templo

Edad Media

la armadura
la artesanía
el / la artesano/a
el caballero
el castillo
la catedral
el cetro
la ciudad amurallada
el clérigo
el / la conde/-sa
la corona
el / la cristiano/a
la cruz
la cruzada
el / la duque/-sa
la espada
feudal
la fortaleza
gótico/a
el / la hereje
la Inquisición
el / la judío/a
el juglar
el manuscrito
la mezquita
la monarquía
el monasterio
el / la monje/a
el / la moro/a
el / la musulmán/-a
el / la noble
el / la plebeyo/a
el reino
el / la rey/-ina
románico/a
el / la señor/-a
el / la siervo/a
la sinagoga

4 Relaciona.

a. Caballero
b. Clérigo
c. Hereje
d. Juglar
e. Monje
f. Noble
g. Rey
h. Señor feudal

1. Cetro y corona
2. Cruzadas
3. Fortaleza
4. Inquisición
5. Manuscrito
6. Monasterio
7. Siervo
8. Teatro y música

Edad Moderna

el absolutismo
la armada
la burguesía
la ciencia
la colonización
el comercio
el corsario
dinástico/a
el dinero
el / la empresario/a
la fábrica
la flota
fructífero/a
la Ilustración
ilustrado/a
la industria
la industrialización
la máquina a vapor
el modernismo
el neoclasicismo
el Nuevo Mundo
las obras civiles
el / la obrero/a
el Renacimiento
el salario
el tren

Edad Contemporánea

el acoso escolar
el arma química / bacteriológica
el atentado
la banca
la Bolsa
la bomba atómica
el campo de refugiados
el capital
el cohete espacial
la cooperación internacional
el crédito
los derechos civiles
digital
el estado de bienestar
el fanatismo
el gobierno democrático
el golpe de Estado
la guerra fría
la igualdad
el inversor
la marginación
los medios de comunicación
la mina antipersona
el monopolio
las nuevas tecnologías
las ONG (organizaciones no gubernamentales)
la ONU
el ordenador
la pena de muerte
el poder legislativo / ejecutivo / judicial
la potencia
las prestaciones sociales
el satélite
la seguridad social
el sistema financiero
el sistema político
el telón de acero
las tiendas de comercio justo
el tráfico de armas
la violencia doméstica
el voluntariado
la xenofobia

Datos de la historia del mundo hispano

las civilizaciones precolombinas
la colonización española
la conquista musulmana
la dictadura de Primo de Rivera
las dictaduras americanas
el franquismo
la Guerra Civil española
el Imperio azteca
el Imperio inca
el Imperio maya
el Imperio romano
la independencia de los países hispanoamericanos
la llegada de Colón a América
los movimientos guerrilleros en Hispanoamérica
la Reconquista
el reinado de los Reyes Católicos
la revolución cubana
la revolución mexicana
la Segunda República española
la transición política

Expresión escrita

Elige un periodo de la historia y describe cuáles son las grandes innovaciones de la época, sus protagonistas y cómo era la vida de las personas en esa época.

Lee el siguiente texto y responde a las preguntas.

LA MONJA ALFÉREZ

Uno de los personajes más fascinantes y curiosos del Siglo de Oro español es Catalina de Erauso, apodada *la monja alférez*, cuya vida está plagada de peripecias y aventuras. Nacida en San Sebastián en 1592, era hija de un militar, Miguel de Erauso, y de María Pérez de Gallárraga y Arce. A los cuatro años fue **internada** en el convento de San Sebastián el Antiguo, del que una tía suya era la **priora**, por lo que tanto su niñez como su adolescencia las pasó entre **rezos** y crucifijos, llevando una **austera** vida monacal. Sin embargo, parece ser que su carácter, inquieto y rebelde, no iba en consonancia con la tranquila forma de vida de **intramuros**. Por si fuera poco, una discusión en el claustro con una robusta novicia, en la que nuestra protagonista recibió varios golpes, motivó que se decidiera a marchar del convento. Fue así como, en 1607, cuando apenas contaba quince años de edad, colgó los hábitos y, disfrazada de hombre, cruzó las puertas del convento para no regresar nunca.

Pasó entonces a vivir en los bosques y a alimentarse de hierbas, a viajar de pueblo en pueblo, temerosa de ser reconocida. Siempre vestida como un hombre y con el pelo cortado a manera masculina, adoptó nombres diferentes, como Pedro de Orive, Francisco de Loyola, Alonso Díaz, Ramírez de Guzmán o Antonio de Erauso.

Algunos autores afirman que su aspecto físico le ayudó a ocultar su condición femenina: se la describe como de gran estatura para su sexo, más bien fea y sin unos caracteres sexuales femeninos muy marcados. Bajo alguno de estos nombres logró llegar a Sanlúcar de Barrameda, embarcando más tarde en una nave hacia el Nuevo Mundo. En tierras americanas **desempeñó** diversos oficios, **recalando** en el Perú. En 1619 viajó a Chile, donde, al servicio del rey de España, participó en diversas guerras de conquista. Destacada en el combate, rápidamente tuvo fama de valiente y diestra en el manejo de las armas, lo que le valió alcanzar el grado de alférez sin desvelar nunca su auténtica condición de mujer. Fueron varias las veces en que se vio envuelta en pendencias y peleas. En una de ellas, en 1615, en la ciudad de Concepción, actuó como **padrino** de un amigo durante un duelo. Como quiera que su amigo y su **contrincante** cayeron heridos al mismo tiempo, Catalina tomó su arma y se enfrentó al padrino rival, hiriéndole de gravedad. Moribundo, este dio a conocer su nombre, sabiendo entonces Catalina que se trataba de su hermano Miguel.

En otra ocasión, estando en la ciudad peruana de Huamanga en 1623, fue detenida a causa de una disputa. Para evitar **ser ajusticiada**, se vio obligada a pedir clemencia al obispo Agustín de Carvajal, contándole además que era mujer y que había escapado hacía ya bastantes años de un convento. Asombrado, el obispo determinó que un grupo de mujeres la examinarían, comprobando que no solo era mujer, sino virgen. Tras este examen, recibió el apoyo del eclesiástico, que la puso bajo su tutela y la envió a España.

Conocedores de su caso en la corte, fue recibida con honores por el rey Felipe IV, que le confirmó su graduación y empleo militar y la llamó *monja alférez*, autorizándola además a emplear un nombre masculino. Algo más tarde, mientras su nombre y aventuras corrían de boca en boca por toda Europa, Catalina viajó a Roma y fue recibida por el papa Urbano VIII y le dio permiso para continuar vistiendo como hombre.

Pero su espíritu inquieto y aventurero no conoce reposo. En 1630, la monja alférez viajó de nuevo a América y se instaló en México, donde regentaba un negocio de transporte de **mercancías** entre la capital mexicana y Veracruz. A partir de 1635 poco se sabe de su vida, salvo que murió en Cuitlaxtla, localidad cercana a Puebla, quince años más tarde.

1 En la lectura podemos encontrar algunas expresiones marcadas en cursiva. Enlázalas con su significado:

Su vida está plagada
No ir en consonancia con
Colgar los hábitos
Tener fama de
Recibir el apoyo de
Correr de boca en boca
No conocer reposo

1. No puede estar parado ni un segundo.
2. No puede funcionar o ir unido a algo.
3. Todo el mundo habla de ello.
4. Ser conocido popularmente por una determinada manera de actuar.
5. Tener la vida llena de algo.
6. Recibir la protección o la ayuda de alguien.
7. Dejar de pertenecer a la Iglesia al no querer ser más monje/a.

2 Elige el significado correcto de las palabras marcadas en negrita.

Ser internado
a. ir a visitar un centro
b. vivir en un centro

Priora
a. superior de un convento
b. igual en un convento

Rezos
a. ondulaciones del pelo
b. oraciones

Austero
a. sin comodidades
b. sin amigos

Intramuros
a. vivir en un lugar rodeado de muros
b. vivir en un lugar en el que viven muchas personas árabes

Desempeñar
a. hacer, realizar
b. abandonar, caer

Recalar
a. aparecer o pasar por un lugar
b. evitar estar en un lugar

Padrino
a. persona que anima a otra en un espectáculo
b. persona que presenta o asiste a otra en alguna ceremonia

Contrincante
a. persona que compite con otra
b. persona que es de tu mismo equipo

Ser ajusticiado
a. ser condenado a morir
b. ser una persona justa y honesta

Mercancías
a. piedras preciosas
b. cosas que se pueden comprar o vender

3 Contesta a las preguntas:

a. ¿Cuándo y por qué fue la primera vez que se vistió de hombre?
b. ¿Qué vida hizo cuando llegó al Nuevo Mundo?
c. ¿Qué ocurrió cuando fue detenida?

4 Para hablar:

- Nacer hombre o mujer antiguamente determinaba la manera de vivir de las personas. ¿Crees que en la actualidad se ha conseguido la igualdad entre los dos sexos?
- ¿Consideras que hay trabajos que solo pueden desempeñar los hombres? ¿Y las mujeres?

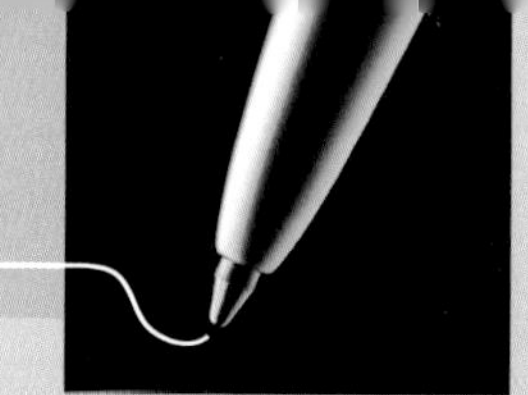

LA BIOGRAFÍA

La biografía es la historia de la vida de una persona. Aquí tienes un ejemplo de una biografía, la de Francisco de Goya. Para leerla, deberás primero ordenarla.

En 1763 el joven artista viajó a Madrid, donde hizo amistad con otro artista aragonés, Francisco Bayeu, pintor de la corte que tuvo una enorme influencia en la formación temprana de Goya.

Se fue a Italia en 1771 y allí pasó un tiempo, aunque su actividad durante esa época es relativamente desconocida.

A su vuelta a España, alrededor de 1773, se casó con Josefa, la hermana de su protector, Francisco Bayeu.

La enfermedad le dejó secuelas: dificultad al andar, problemas de equilibrio y de visión y la más importante, la pérdida de la capacidad auditiva.

Podemos decir que su enfermedad marcó un antes y un después en la obra de Goya.

Entre 1797 y 1799 dibujó y grabó al aguafuerte la primera de sus grandes series de grabados, Los caprichos, en los que, con profunda ironía, satirizó los defectos sociales y las supersticiones de la época.

Francisco de Goya nació en 1746, en Fuendetodos (Zaragoza). Su padre era pintor y dorador de retablos y su madre descendía de una familia de la pequeña nobleza de Aragón. Pronto entró Francisco como aprendiz en el taller de José Luzán, donde estuvo cuatro años.

En 1789 Goya fue nombrado pintor de cámara por Carlos IV y en 1799 ascendió a primer pintor de cámara, con lo que se convirtió en el pintor oficial de palacio.

En el invierno de 1792, cayó gravemente enfermo en Sevilla. Tras meses de postración en cama, logró recuperarse.

La Guerra de la Independencia dejó una enorme huella en Goya. De esta época son El dos de mayo de 1808 y Los fusilamientos del tres de mayo de 1808. Estas pinturas reflejan el horror y dramatismo de las brutales masacres de grupos de españoles desarmados que luchaban en las calles de Madrid contra los soldados franceses.

A partir de entonces su pesimismo fue creciendo. De este periodo son sus Pinturas negras.

Murió en Burdeos (Francia) en 1828.

Más tarde recibió el encargo de diseñar cartones para la Real Fábrica de Tapices de Madrid y estuvo haciéndolo en un periodo comprendido entre 1775 y 1792. Algunos de los más conocidos son: Merienda a orillas del Manzanares, El columpio o El quitasol.

No solo su vida profesional florecía, también lo hacía su familia. Entre 1775 y 1784 tuvo a sus 8 hijos, de los cuales solo sobrevivió uno, Francisco Javier. El resto de los niños murió al poco de nacer o mientras eran niños.

Ahora escribe tú una biografía. Aquí tienes varias opciones:

- Un personaje histórico destacado en la historia de tu país.
- Una persona de tu familia.
- Tu propia autobiografía.

Tema 10

¿QUÉ ME PASA, DOCTOR?

Uno de los principios de tener una vida sana es prevenir los riesgos y minimizar los problemas. Esto consiste en llevar una vida sana y equilibrada, tanto física como mentalmente, pero también estar preparado para los imprevistos, conocer los remedios a las distintos problemas y dar soluciones inmediatas a los contingentes.

- **Infórmate:** En la consulta del médico
- **Reflexiona y practica:** Las oraciones modales; opiniones con *ser / estar / parecer* + *que* + adjetivo
- **Así se habla:** Expresiones con partes del cuerpo
- **Tertulia:** Medicina alternativa – medicina moderna
- **Taller de lectura:** Meditación y salud
- **Taller de escritura:** Los textos de instrucciones

¿Te preocupa tu salud? ¿Qué es para ti sentirse bien? ¿Qué haces para tener una vida sana? Observa este botiquín. ¿Qué elementos puedes reconocer en la imagen? Indica los nombres de cada uno. ¿Para qué utilizarías cada uno de ellos?

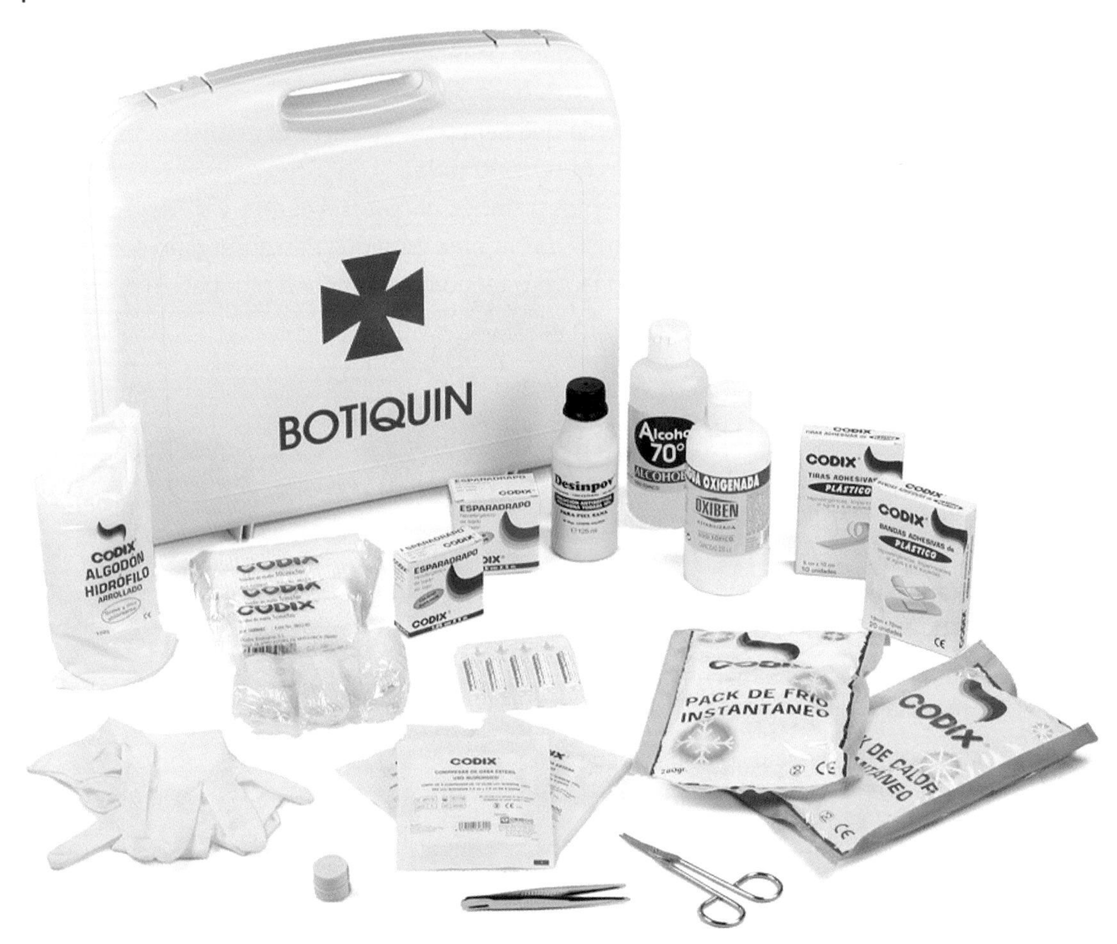

¿QUÉ ME PASA, DOCTOR?

Infórmate

A UNA CITA EN EL CONSULTORIO DEL MÉDICO

Contesta a las siguientes preguntas sobre la audición.

- ¿Por qué quiere ver a este doctor?
- ¿Qué síntomas tiene?
- ¿El paciente puede ser visto por el doctor Robles?
- ¿Quién le atiende y dónde?
- ¿Por qué la siguiente paciente es atendida por el doctor?

B EN LA CONSULTA

Lee estas frases, escucha esta conversación entre médico y paciente y marca las que oyes. Luego, explica qué significan las palabras marcadas.

PACIENTE

- ☐ No me encuentro nada bien.
- ☐ Últimamente **no estoy en forma**.
- ☐ Creo que **me han pegado algún virus**.
- ☐ Me han **contagiado** un catarro.
- ☐ **Tengo algunas décimas** por la noche.
- ☐ Últimamente no paro de **pillar todo tipo de virus**.

DOCTOR

- ☐ Bueno, creo que te puedo **diagnosticar** la enfermedad por los síntomas.
- ☐ No tienes ninguna **enfermedad terminal**, no te preocupes.
- ☐ Puede tratarse de una **enfermedad hereditaria**.
- ☐ Quizá **estés baja de defensas**.
- ☐ Recuerda que tienes que **hacerte el análisis en ayunas**.
- ☐ Tienes **la tensión baja**.
- ☐ Miraremos si **tienes el colesterol alto** y si **tienes azúcar**.
- ☐ **Te voy a dar la baja** para que descanses y no contagies a nadie.
- ☐ Perdona, pero tengo que atender a otro paciente.

C ALGUNAS MOLESTIAS

Marca la opción correcta de lo que oirás en la audición.

1. Cuando hace mucho calor, nota palpitaciones / dolores de cabeza.
2. Con el frío y el calor / el calor y las lluvias el cuerpo sufre cambios.
3. Es algo muy / poco habitual en la población mundial.
4. Cuando note los primeros síntomas debe permanecer en lugares secos / frescos.

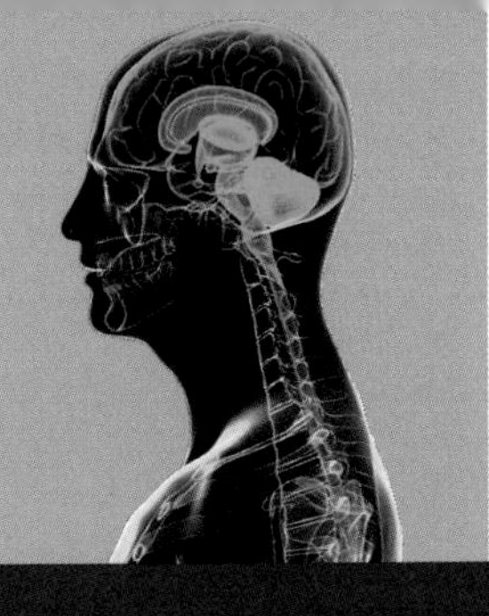

D ¿ERES METEOROSENSIBLE?

El clima y los cambios atmosféricos influyen en cómo nos sentimos y en la salud. Lee este texto y responde a las preguntas.

Las variaciones bruscas del tiempo alteran nuestro ánimo y nuestro estado de salud, pudiendo llegar a ser mortales. Los científicos creen que la mitad de la población es **vulnerable** a los cambios de temperatura, humedad y presión atmosférica. ¿Por qué?

«Dicen mis compañeros que se fían más de mí que del hombre del tiempo», comenta Jordi Mercé, un barcelonés de 35 años. Hace tres años, los médicos tuvieron que **extirparle** un riñón, debido a una **insuficiencia** renal. «Desde entonces, mi cicatriz se resiente ante los cambios atmosféricos. Sobre todo, noto una sensación dolorosa en el **costado** cuando baja bruscamente la temperatura».

Manuela Jiménez, una extremeña de 57 años, tiembla cuando oye por la radio que las temperaturas descienden y sube la humedad relativa del aire. «Un día antes de que el tiempo empiece a empeorar, las rodillas se me **inflaman**, los dedos de las manos **se** me **agarrotan** y siento **pinchazos** en los codos», confiesa Manuela, que sufre artritis.

Los días que sopla con fuerza el siroco, un viento cálido y seco procedente del Sahara, constituyen un infierno para Felipe Martínez, un joven de las islas Canarias. «Los cambios de presión que acompañan al siroco me levantan unos terribles dolores de cabeza. Además me noto **abatido** e inquieto», comenta.

La madrileña Sonia Llorente, de 29 años, se siente como un barómetro andante. «Las tormentas de verano, generalmente cuando vienen acompañadas de fuertes lluvias, me provocan **crisis asmáticas**. Huelo las tormentas a kilómetros», comenta.

Sonia, Jordi, Manuela y Felipe no son en absoluto unos **hipocondríacos** del clima. En el momento en que alguna variación aparece en la atmósfera que nos envuelve, estas personas empiezan a sufrir. Sin duda alguna, las inclemencias del tiempo incomodan a nuestro organismo. Se estima que entre un tercio y la mitad de la población es meteorosensible, o sea, que se muestra vulnerable a los cambios atmosféricos, sobre todo si estos suceden bruscamente.

Hoy, los científicos pueden asegurar que el tiempo nos puede incluso matar. Determinadas situaciones meteorológicas favorecen el agravamiento de algunas enfermedades. Los estudios constatan que determinadas condiciones meteorológicas aumentan las urgencias por **infartos** y embolias, las **tentativas** de suicidio, los comportamientos criminales y los accidentes de tráfico.

A mediados del siglo XX nació en Alemania una nueva disciplina científica. Nos referimos a la bioclimatología. Al igual que cualquier ser vivo, el hombre reacciona fisiológicamente a los denominados factores del tiempo, que incluyen la temperatura, la humedad, la presión y el viento, así como a los fenómenos que tienen lugar en la atmósfera: la lluvia, la niebla, la tormenta, el granizo y la contaminación.

Adaptado de www.muyinteresante.es (01-abril-2003)

- Para las personas que cuentan su caso, ¿es mejor el frío o el calor?
- ¿Qué tiempo no es el adecuado para los que padecen migrañas? ¿Y asma?
- ¿Qué aplicaciones científicas y no científicas crees que puede tener la Bioclimatología Médica? ¿Crees que puede usarse como medicina preventiva?

Relaciona las palabras marcadas con las del recuadro.

Infórmate

deficiencia
hinchan
quitarle
crisis respiratorias
se entumecen
lado
sensible
desanimado
intentos
aprensivos
ataques al corazón
dolores agudos y cortos

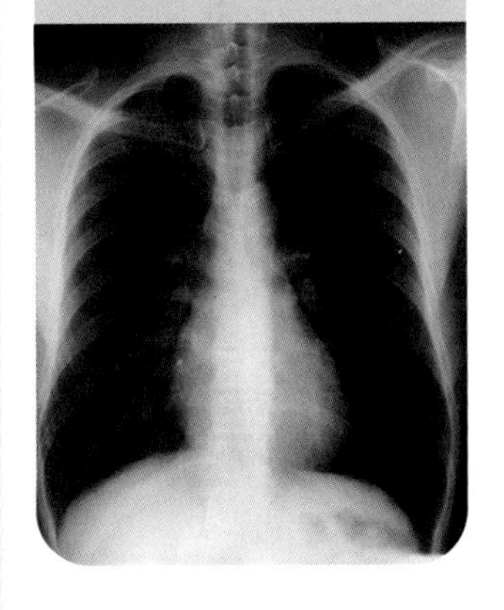

¿Y tú?

¿Padeces alguna enfermedad meteorotrópica? ¿Eres meteorosensible?

¿Cómo te afecta el tiempo?

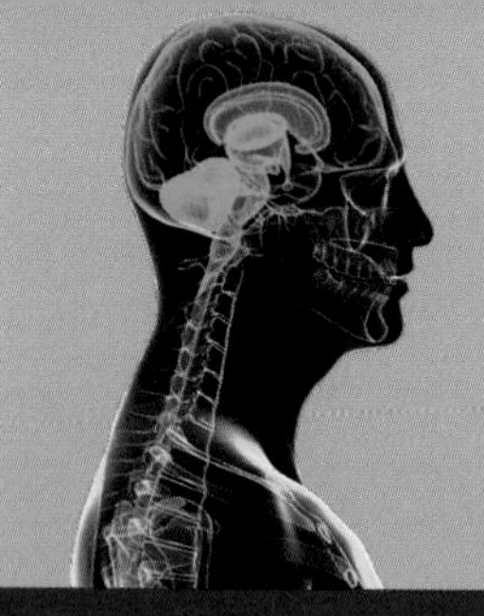

¿QUÉ ME PASA, DOCTOR?

Reflexiona y practica

1 Las oraciones modales

Las oraciones subordinadas modales expresan la manera en que se realiza la acción de la oración principal.

Como y *según* (*según* es más enfático y un poco más formal)

- En pasado van con indicativo.

  Come como su madre le enseñó. / Comía según su madre le enseñaba.

- En presente y futuro, va en indicativo si se habla de algo conocido, y en subjuntivo si se habla de algo desconocido.

  Come como su madre le dice. (Ahora se lo está diciendo). / *Come como su madre le diga.* (Siempre sigue sus consejos; en el pasado, presente y futuro).

  Tu hijo será como él quiere ser. (Él ya tiene las ideas claras de cómo quiere ser). / *Tu hijo será como él quiera ser* (Aún no se sabe).

Como si

- Explica la acción como otra parecida que nos imaginamos. Siempre va con imperfecto o pluscuamperfecto de subjuntivo.

  Hablaba como si fuera el mejor dentista del mundo. / Nos sentíamos como si nos hubiéramos comido un elefante entero.

  ¡RECUERDA!

  Cuando aparece de manera independiente, lo usamos en indicativo (tiene un valor más concesivo y más enfático).

  Por mí, ¡como si quieres ir vestido de buzo a la boda!

  No me importaba nada; ¡como si quería dejar de hablarme para siempre! (= Aunque quisiera dejar de hablarme, no me importaba nada).

2 Una vida saludable

Un amigo tuyo ha decidido empezar una nueva vida más saludable, pero nunca se ha cuidado y no tiene ni idea de por dónde empezar, por eso te ha pedido ayuda. Mira la lista que has elaborado para él. Dale consejos, utilizando *como* y *según* en indicativo y en subjuntivo, como en el ejemplo.

- Ir a clase de yoga 3 veces a la semana.
- Comer despacio saboreando la comida.
- Llevar una dieta equilibrada.
- Seguir un horario regular para el sueño.
- Dejar de fumar.
- Sacar tiempo libre para salir con los amigos, desarrollar alguna afición, etc.
- Sacarle humor a los problemas y reírse de todo.

3 Gracias por los consejos

Después de poner en práctica su nueva vida, tu amigo está escribiéndote una carta de agradecimiento. Complétala usando *como si*.

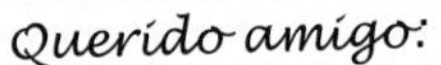

Querido amigo:
No sabes cómo te agradezco tus consejos. Me están cambiando la vida. Ahora, cuando camino, estoy en plena forma. Ando como si tuviera 20 años menos, ¡como si pudiera echar a volar!...

Ser / Estar / Parecer + indicativo

Para lo que es considerado una verdad generalizada:

- *Ser, parecer + verdad, evidente, seguro, cierto, obvio, indudable, indiscutible, innegable...*
  Parece indiscutible que el principal objetivo de los alquimistas del pasado era encontrar el elixir para alcanzar la inmortalidad.
- *Estar, parecer + claro, demostrado, visto...*
  Está claro que cada vez la esperanza de vida en Europa es más elevada.

Ser / Estar / Parecer + subjuntivo

Cuando se niegan los anteriores:

No es cierto que la leche sea tan buena. Hay gente a la que le crea muchos problemas.

¡CUIDADO!: No se utiliza *no está visto.*
Cuando es una opinión más personal y se da un juicio de valor:

- *Ser, parecer + absurdo, bueno, malo, difícil, fácil, esencial, necesario, raro, interesante, importante, conveniente, extraño, falso, fantástico, sano, maravilloso, improbable, terrible...*

  Es extraño pensar que el hombre haya aprendido tan poco de los errores cometidos en el pasado.
- *Está + bien, mal...*

  Está bien que los médicos se preocupen por aumentar la longevidad de la gente.

Reflexiona y practica

Cuando queremos dar una explicación sobre lo que ha dicho o hecho alguien, utilizamos en español:

- ***Es que* + indicativo**
  - *Carlos está enfermo.*
  - *– Es que no se cuida nada.*
- ***No es que* + subjuntivo**
  No es que no se cuide, es que tiene muchísimo trabajo.

4 *¿Ser o estar?*

Completa las siguientes oraciones con *ser* o *estar*.

1. .... claro que el estrés es lo peor para la salud. Hay que tomarse la vida más relajadamente.
2. .... necesario que cambies tus pensamientos negativos por otros positivos.
3. .... curioso que, en determinados países europeos, algunos métodos de medicina alternativa, como la acupuntura, estén ya integrados en el sistema de salud pública.
4. .... bien que la gente mayor también haga ejercicio físico.
5. .... visto que a la gente no le preocupa la salud hasta que no les falla.
6. No .... tan obvio que la dieta vegetariana sea menos completa.
7. .... demostrado que llevar una vida sedentaria no es bueno.
8. .... mal que la gente siga fumando en espacios públicos.

Vida sana

Piensa en 5 cosas que haces que son buenas para tu cuerpo y en 5 cosas que crees que es necesario que cambies. Compáralas con las de tu compañero. ¿Tenéis algo en común? ¿Cuál de los dos parece que cuida más su salud?

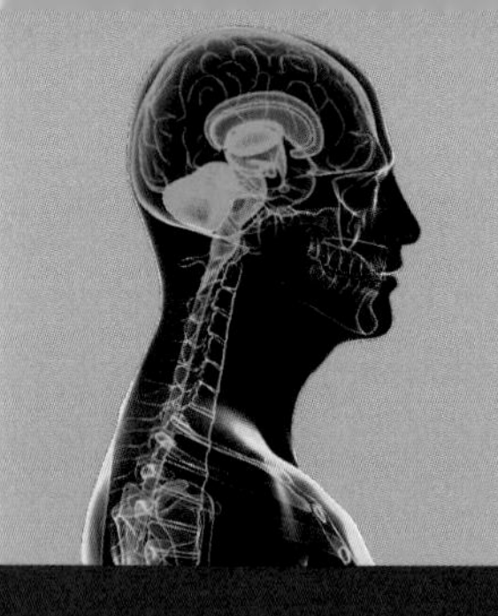

¿QUÉ ME PASA, DOCTOR?

Así se habla

Las partes del cuerpo.

1 Relaciona estas expresiones, en las que se mencionan partes del cuerpo, con su significado.

1. No dar pie con bola.
2. Codearse con alguien.
3. Chuparte la sangre.
4. Estar hasta la coronilla / hasta las narices de…
5. Estar con la soga al cuello.
6. Meter la pata.
7. Tener una corazonada.
8. Dormir a pierna suelta.
9. Darle a alguien la espalda.
10. Hablar a las espaldas de alguien.
11. Chocar los cinco.

a. Estar harto de algo.
b. No acertar en nada; equivocarse en todo.
c. No ayudar o ignorar a alguien.
d. Dormir profundamente.
e. Chocar la mano de una persona contra otra para saludarse o darse la enhorabuena.
f. Criticar a alguien cuando no está presente; no decirle las cosas a la cara.
g. Tener un problema serio.
h. Aprovecharse de alguien.
i. Tener una intuición.
j. Hacer o decir algo que no deberías haber dicho o hecho.
k. Relacionarse con alguien, normalmente de clase social elevada.

Las expresiones en su contexto.

2 Ahora elige una de estas expresiones para reflejar estas situaciones.

- ¡Ostras! No sabía que no podíamos contárselo. ¿Y ahora qué hacemos?
- Desde que anda con empresarios, Carlos se ha vuelto un poco prepotente.
- No me preguntes por qué, pero me da que Marta va a estar bien en ese nuevo trabajo.
- Tengo que pagar la hipoteca del banco, pagar las facturas de la casa. ¡Estos bancos me lo están quitando todo!
- Todo lo que escribió en el examen estaba mal. ¡No dio una, el pobre!
- No tiene valor para venir a decírmelo personalmente y siempre me critica cuando yo no estoy.
- Puedes hablar tranquilamente, aunque esté durmiendo. No hay ruido que lo despierte.
- Estoy cansada de que me llame a todas horas, incluso en plena noche. ¡No puedo más!

Da tu opinión

- Crea otras situaciones en las que utilizarías estas expresiones.
- ¿Existen expresiones parecidas en tu lengua?

¿QUÉ ME PASA, DOCTOR?

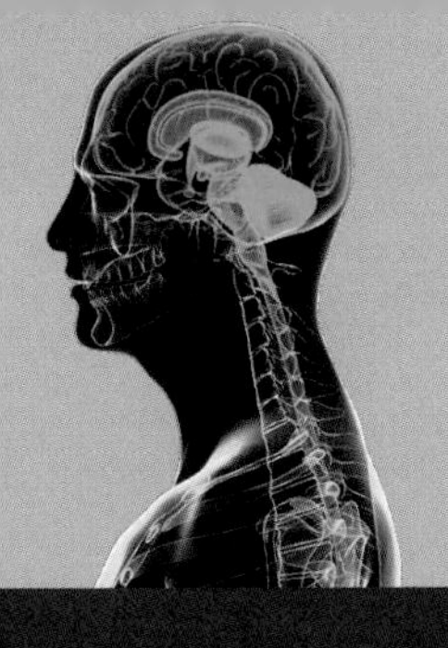

Tertulia

¿Medicina alternativa o medicina moderna? Lee esta conversación entre dos amigas y, luego, da tu opinión. Trata de utilizar las expresiones vistas en la página anterior.

Exprésate

1 Me encanta la medicina alternativa, Elena. Está demostrado que no tiene efectos secundarios y me inspira mucha confianza.

2 Sí, pero también es verdad que métodos considerados alternativos en el pasado, ahora son aceptados en medicina convencional...

3 A mí no. Los métodos alternativos no han sido comprobados científicamente. Yo soy muy desconfiada... ¡A saber...!

4 Sí, hace poco vi una noticia de que querían investigar el reiki de manera científica porque en un hospital público estaba dando buenos resultados... Pero yo hasta que no se demuestre...

5 ¡Pero si no pierdes nada porque no te puede hacer mal...! Hay que probar...

6 Pierdo dinero y tiempo... Hay mucha gente que hace un curso por ahí, y ya proclaman que son homeópatas o lo que sea...

7 Es indudable que a veces hay fraude. Tienes que informarte bien... ¿Pero qué me dices de la industria farmacéutica? ¿Sabes cuánto dinero hay por en medio? Ahí también hay mucho...

8 Bueno, no sé, Carmen, está visto que tú y yo siempre estamos en desacuerdo...

¿Qué terapias alternativas conoces? ¿Puedes contar alguna experiencia que te haya pasado a ti o a un conocido que tenga que ver con este tipo de medicina? ¿Crees que en el futuro algunas terapias que hoy se consideran alternativas serán incorporadas a la medicina convencional?

En parejas, imagina que vas a la consulta de un médico. Uno de vosotros será el paciente y el otro el doctor (que puede ser favorable a la medicina alternativa o no). Elige una ficha y decide el especialista. Luego, desarrolla con tu compañero el rol utilizando el vocabulario aprendido en esta unidad.

PACIENTE: Tu perro Yaki.
SÍNTOMAS: Cojea de una pata.
OBSERVACIONES: Hay que ponerle bozal porque cuando está muy nervioso puede morder.

PACIENTE: Tú.
SÍNTOMAS: Erupción cutánea. Te pica mucho y la piel de la palma de las manos está muy irritada, con ampollas.
OBSERVACIONES: Ninguna.

PACIENTE: Tu hijo de 5 años.
SÍNTOMAS: Mucha fiebre (39 grados), dolor de estómago, vómitos y diarrea.
OBSERVACIONES: Alérgico a la penicilina.

PACIENTE: Tú.
SÍNTOMAS: Dolor al respirar, congestión nasal e irritación de garganta.
OBSERVACIONES: Eres asmático.

PACIENTE: Tú.
SÍNTOMAS: Te duele el pecho a la altura del corazón.
OBSERVACIONES: Eres hipertenso y tienes sobrepeso.

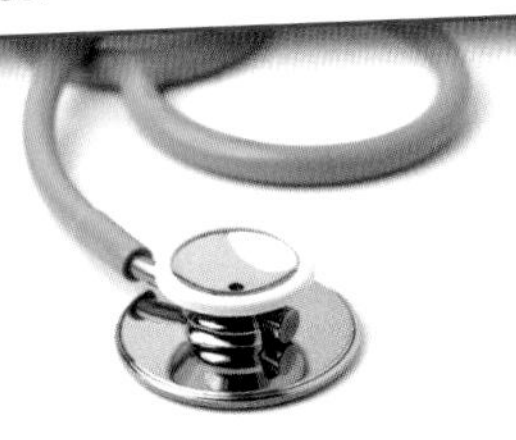

PREPÁRATE PARA ESTE TEMA

Para trabajar con este tema, revisa el léxico, comprueba las palabras que conoces, aprende las nuevas y realiza las actividades.

Partes del cuerpo

la arteria
la articulación
la barbilla
la barriga
la cana
la ceja
el cerebro
la cintura
el codo
la columna vertebral
el corazón
la costilla
el cráneo
el cuello
el diente
el esqueleto
el estómago
la frente
la garganta
el hígado
el hombro
el hueso
el intestino delgado
el intestino grueso
la médula espinar
la mejilla
la muela
la muñeca
el músculo
el nervio
el oído
el pecho
la pestaña
la piel
el pulmón
el riñón
la rodilla
el tendón
el tobillo
la uña
la vena

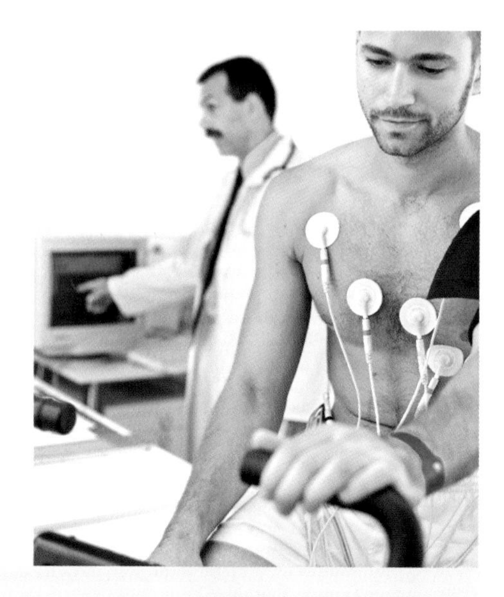

1 ¿Qué tienen en común estas partes del cuerpo?

a. La cana, la ceja, la pestaña: ....

b. La columna, la costilla, el cráneo, el esqueleto: ....

c. El estómago, el hígado, los intestinos, los riñones: ....

d. El codo, la muñeca, la rodilla, el tendón: ....

2 Haz tú agrupaciones y preséntaselas a tu compañero para que adivine qué tienen en común.

Enfermedades

el ataque al corazón / epiléptico / de ansiedad
la bronquitis
el catarro
coger un virus
contagiar(se)
contagioso/a
dar un infarto / una parálisis
la depresión
la diabetes
el diagnóstico
la enfermedad crónica / leve / grave
la enfermedad terminal
estar en coma
la faringitis
hacerse un empaste
hacerse un esguince
hereditario/a
la neumonía
padecer / sufrir una enfermedad
pegarle alguien un virus
sufrir un desmayo
tener azúcar
tener el colesterol alto
tener la tensión alta / baja
tener una cicatriz
tener una reacción alérgica
torcer el tobillo
el tratamiento

3 Explica en qué consisten estos síntomas:

a. Tener un ataque de ansiedad: ....

b. Hacerse un esguince: ....

c. Tener una reacción alérgica: ....

d. Sufrir un desmayo: ....

e. Coger un virus de la gripe: ....

PREPÁRATE PARA ESTE TEMA

DICCIONARIO

Labores sanitarias

anestesiar
cuidar
curar
dar el alta / la baja
dar hora
dar puntos
diagnosticar
escayolar
extender una receta / un prospecto / un volante
hacer un análisis de sangre / orina
hacer un empaste
hospitalizar
operar
poner una escayola / venda
poner a dieta
recetar
reponer fuerzas
tomar la tensión
vendar

4 Explica en qué consisten estas labores sanitarias:

a. Dar la baja a un enfermo: ....

b. Dar puntos en una herida: ....

c. Hacer un empaste en una muela: ....

d. Recetar un medicamento: ....

e. Tomar la tensión a una persona: ....

Medicamentos y remedios

el agua oxigenada
el alcohol
el algodón
el analgésico
el antibiótico
el antiinflamatorio
la aspirina
el calmante
la crema
el esparadrapo
la gasa
las gotas
la inyección
la pastilla
la pomada
el supositorio
el termómetro
la tirita
la vacuna
la venda

5 Hay un medicamento que no encaja en la serie. Márcalo.

a. agua oxigenada, algodón, esparadrapo, gasa, supositorio, tirita.

b. analgésico, antibiótico, aspirina, inyección, termómetro.

c. analgésico, antibiótico, antiinflamatorio, calmante, inyección, vacuna.

d. crema, gotas, inyección, pastillas, pomada, supositorio, tirita.

Lugares sanitarios

la ambulancia
el ambulatorio
el centro de salud
la clínica
la compañía de seguros
la consulta del médico / dentista / ginecólogo
el consultorio
la farmacia
el hospital
ir de / estar en urgencias
el sanatorio
la seguridad social
el seguro médico
las urgencias

Expresión escrita

Has tenido un accidente o has pasado una enfermedad y la cuentas. Elige una de las siguientes situaciones:

- Haciendo deporte, tuviste un problema muscular. Le escribes una carta a un amigo y se lo cuentas. También le explicas qué hiciste para curarte.
- Tuviste un accidente de coche y tienes que redactar un informe para tu seguro de accidentes. Cuenta cómo pasó, qué consecuencias sufriste por el accidente y cómo te encuentras ahora.
- El médico te ha dado la baja por una enfermedad leve. Escribes un correo electrónico a tu jefe para explicarle por qué no vas a ir a trabajar durante unos días, qué síntomas tienes y qué te ha prescrito el médico de cabecera o especialista.

Lee el siguiente texto y responde a las preguntas.

MEDITACIÓN Y SALUD

La meditación ya no se puede definir solo como una práctica asociada a ciertas creencias espirituales. Es una técnica que favorece la salud, entendida esta como un estado de equilibrio mental y físico. Esto es algo que los meditadores han afirmado siempre, pero estudios recientes lo han confirmado.

El doctor Richard Davidson, de la Universidad de Wisconsin, ha identificado, mediante resonancias magnéticas y electroencefalogramas avanzados, que las personas estresadas tienen activadas ciertas partes de la amígdala que gobiernan las emociones, y el córtex prefrontal derecho, región importante en la actitud de hipervigilancia. En cambio, quienes tienen sentimientos predominantemente positivos presentan una estimulación de otros lugares en el córtex prefrontal izquierdo. Al analizar la respuesta cerebral de un lama tibetano encontró el patrón más extremo de estimulación del córtex prefrontal izquierdo entre las 175 personas que participaron en el estudio. [1]

Otro estudio realizado por Davidson y el doctor Jon Kabat-Zinn ha mostrado que la práctica de la meditación alivia los síntomas de pacientes con todo tipo de enfermedades crónicas. Tres horas semanales de meditación pueden modificar los patrones cerebrales, desde una respuesta más emocional a otra más serena. A la vez los pacientes afirmaron que se sentían con más energía, menos ansiosos y más capaces de realizar sus tareas, después de practicar este tipo de terapia.

Pero el efecto no es solo psíquico. La meditación mejora el funcionamiento general del sistema inmunitario. Varios estudios han demostrado que las personas que la practican contraen menos enfermedades, desde gripes y resfriados hasta arterioesclerosis o cáncer. Según Dharma Singh Khalsa, profesor de la Universidad de Tucson, esta activa el poder de la fuerza curativa natural que permite al cuerpo y a la mente sanarse por sí mismos. [2]

De todos modos, el conocimiento de los mecanismos de acción de las técnicas mentales sobre los procesos fisiológicos ha avanzado significativamente. Los descubrimientos realizados en los últimos diez años muestran que existen importantes conexiones entre los sistemas nervioso, hormonal, inmunitario y gastrointestinal. Se sabe, a partir de los estudios pioneros de Candace Pert, que por el cuerpo fluyen sustancias químicas –péptidos o proteínas de cadena corta– que son la expresión material de los pensamientos y las emociones. [3] Muchos investigadores creen que el motivo principal por el que nos deterioramos es la degeneración del sistema endocrino, a la cual sigue la del sistema inmunitario. Singh Khalsa explica que el equilibrio de los procesos fisiológicos depende en buena medida del hipotálamo, que decide segregar más adrenalina, hormonas, testosterona, o lo que sea para mantener el equilibrio del cuerpo. Si la mente se centra en el aquí y ahora –es decir, cuando se encuentra en estado meditativo y cesa el diálogo interno que provoca la ansiedad al pensar en problemas– se inicia una respuesta hipotalámica integral que disminuye la respuesta de enfrentamiento o de huida típicos de una situación de estrés o peligro. [4]

La meditación es un hecho fisiológico natural, bien estudiado y bastante sencillo de realizar. Solo se requiere voluntad y paciencia. Existen muchas técnicas –oración, visualización, meditación sufí, meditación de la recta atención, técnicas de relajación, meditación trascendental, meditación zen, yoga, taichí, *qi kung*...– pero todas coinciden en lo básico: «apagan» el curso habitual de pensamiento.

Existen meditaciones terapéuticas para la artritis, las enfermedades del corazón, el sida, el cáncer, las migrañas, el asma e incluso para la regeneración del sistema nervioso. Pero como «más vale prevenir que lamentar», por qué no coger el hábito de meditar. Con solo 10 minutos al día se consiguen grandes resultados. Pruébalo.

1 Estos fragmentos han sido sacados del texto anterior. Colócalos en el lugar adecuado.

[ ] Así, cuerpo y mente ya no son entidades separadas, sino aspectos interdependientes de una misma unidad.

[ ] Esta respuesta no solo reduce la segregación de la hormona cortisol y desactiva el sistema nervioso simpático, causantes del estrés, sino que también permite un control voluntario muy cuidadoso del sistema nervioso. A nivel molecular también se producen reacciones, como una reducción del metabolismo de los glóbulos rojos y una supresión de las citoquinas, unas proteínas con la respuesta inmunitaria peculiar de las personas estresadas.

[ ] Cabría sospechar que se tratara de una diferencia individual, pero otros estudios, como el realizado por Andrew Newberg, de la Universidad de Pensilvania, han confirmado que los monjes tibetanos muestran patrones peculiares de actividad cerebral, especialmente cuando meditan.

[ ] La doctora Pert las denomina moléculas de emoción, y su flujo tiene que ver con la manera de pensar y con el estado de salud. Se reparten rápidamente a cada célula del cuerpo. De modo que podemos decir que sentimos lo que pensamos en todo nuestro cuerpo.

2 Encuentra en los párrafos señalados del texto palabras que encajen con las siguientes definiciones:

a. Procedimiento médico que permite ver los tejidos blandos internos del cuerpo. (párrafo 2)
b. Estado de extrema alerta en el que se encuentra alguien que sufre estrés. (párrafo 2)
c. Forma habitual de comportarse o reaccionar (en este caso, el cerebro). (párrafo 3)
d. Conjunto de estructuras y procesos biológicos que protegen a una persona contra las enfermedades. (párrafo 4)
e. Enfermedad que consiste en el endurecimiento y la pérdida de elasticidad de las arterias. (párrafo 4)
f. Ir a peor. (párrafo 5)
g. Salir de las glándulas las sustancias elaboradas por ellas. (párrafo 5)
h. Dolores de cabeza muy intensos capaces de incapacitar a quien los sufre (párrafo 7)

3 Responde a las siguientes preguntas sobre el texto:

a. ¿En qué tipo de personas podemos encontrar en el cerebro los patrones propios de una actitud de hipervigilancia?
b. ¿Qué efectos positivos tiene la meditación sobre la salud física del individuo?
c. «Los péptidos son la expresión material de los pensamientos y emociones» ¿Qué crees que significa esta frase extraída del texto? (párrafo 5)
d. ¿Qué es el hipotálamo, y cuál es su función?
e. ¿Qué ocurre con el hipotálamo cuando la mente medita?

4 Para hablar:

- En la China antigua se pagaba a los médicos hasta el momento en que la gente enfermaba. Esto implica una forma de entender la salud muy diferente de la nuestra. ¿Por qué?
- En el texto se insiste en la relación entre salud y pensamiento. ¿Qué tipos de pensamiento consideras que son dañinos? ¿Crees que pueden adquirirse hábitos de pensamiento más saludables? ¿Cómo?
- ¿Alguna vez has realizado alguna de estas prácticas? ¿Qué te parecen?

LOS TEXTOS DE INSTRUCCIONES

Observa la descripción de los textos de instrucciones que te da tu profesor.

Ahora lee rápidamente el siguiente y escribe el titular que ha de llevar cada parte del mismo, eligiéndolos de entre los del cuadro. Después, responde a las preguntas, pero trata de buscar solo esa información. ¡No trates de entenderlo todo!

contraindicaciones • posología • composición • efectos secundarios • indicaciones

Lea todo el prospecto detenidamente antes de empezar a tomar el medicamento.

....

El principio activo es ibuprofeno. Cada comprimido tiene 600 mg de ibuprofeno. Los demás excipientes son: celulosa microcristalina, almidón de maíz, almidón glicolato de sodio, estearato de magnesio, talco, sílice coloidal anhidra, povidona, hipromelosa, dióxido de titanio y triacetato de glicerol.

....

IBUPROFENO MERCK 600 mg está indicado en el tratamiento de los síntomas de

- Artritis reumatoide (incluyendo artritis reumatoide juvenil), espondilitis anquilopoyética, artrosis y otros procesos reumáticos agudos o crónicos.
- Lesiones de tejidos blandos como torceduras y esguinces.
- Procesos dolorosos de intensidad leve y moderada como el dolor dental, el dolor postoperatorio, el dolor de cabeza y dolor menstrual.
- Fiebre de causas diversas.

....

No tome IBUPROFENO MERCK 600 mg:

- Si es alérgico al ibuprofeno, a otros fármacos del grupo de los antiinflamatorios no esteroideos o a cualquiera de los excipientes del producto.
- Si padece una úlcera de estómago o duodeno.
- Si padece una enfermedad grave del hígado o los riñones.
- Si vomita sangre.
- Si presenta heces negras o una diarrea con sangre.
- Si padece trastornos hemorrágicos o de la coagulación sanguínea, o está tomando anticoagulantes (medicamentos utilizados para *fluidificar* la sangre). Si es necesario utilizar a la vez medicamentos anticoagulantes, el médico realizará unas pruebas para la coagulación sanguínea.

....

La dosis diaria recomendada es de 1 200 mg de ibuprofeno repartidos en dos tomas. En algunos procesos, pueden requerirse dosis superiores, pero en cualquier caso se recomienda no sobrepasar la dosis de 2 400 mg al día (4 comprimidos).
No suministrar este medicamento a menores de 14 años.

....

Se han observado los siguientes efectos adversos:

- Diarrea, indigestión, náuseas, vómitos.
- Erupciones cutáneas, picor de piel, enrojecimiento.

NO PRECISA CONDICIONES ESPECIALES DE CONSERVACIÓN. MANTÉNGASE FUERA DEL ALCANCE DE LOS NIÑOS.

- Si eres alérgico a algunas sustancias químicas, ¿en qué apartado mirarías si puedes tomar este medicamento?
- ¿Le darías un comprimido de estos a un niño de 5 años?
- ¿Sería un medicamento para tener continuamente en tu botiquín? ¿Por qué?

Ahora, en grupos de 3, imitando el estilo de este prospecto, escribe un texto de instrucciones sobre cómo sobreponerse al *mal de amores*.

Por ejemplo: *Composición: un abrazo diario, una sonrisa delante del espejo, etc. Contraindicaciones: la recuperación de traumas como este es incompatible con encerrarse en la habitación. Recomendaciones: salir y hacer deporte, etc.*

Si este no te inspira, te proponemos otros temas:

Soportar un lunes... | Aprobar los exámenes de español... | Pasar un fin de semana divertido... | Llegar a los 60 en perfecto estado...

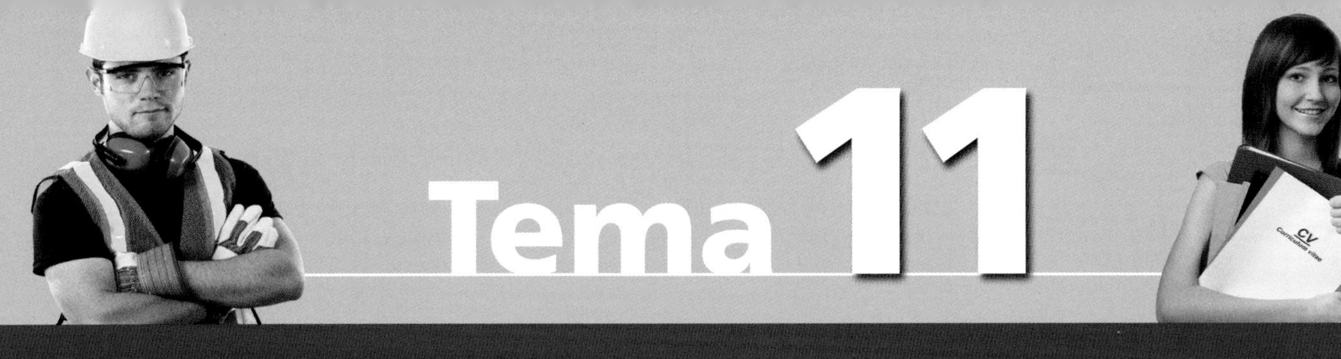

EL MUNDO LABORAL

A la hora de encontrar un buen puesto de trabajo, no solo es importante tener una adecuada formación, sino que también se requiere que se cuiden las formas y los procedimientos, que uno se esmere en la apariencia que va a causar en el entrevistador, tanto en las cuestiones personales como en la presentación de documentos.

- **Infórmate:** Encontrar trabajo en España
- **Reflexiona y practica:** Oraciones condicionales y consecutivas
- **Así se habla:** Expresiones coloquiales relacionadas con el cuerpo y el trabajo
- **Tertulia:** Superar una entrevista de trabajo
- **Taller de lectura:** Oficios perdidos
- **Taller de escritura:** La carta formal

Lee estos quince errores que según una página web sobre el protocolo son más cometidos por algunos candidatos. Ponlos en orden según te parezcan más graves. ¿Puedes añadir más errores a la lista? Discútelo con tus compañeros.

1. Presentarse con un mal aspecto, tanto de higiene personal como de vestuario.
2. No mirar a la persona que le entrevista cuando le está hablando o está hablando usted con él.
3. Tener una actitud de indiferencia o cierta pasividad.
4. Llegar tarde a la entrevista.
5. No expresarse de forma clara.
6. Tener un pronunciado interés solamente por el dinero, sin tener en cuenta otras condiciones.
7. Saludar de una forma fría, distante, con un apretón de manos frágil y temeroso.
8. No responder de forma clara, sino con divagaciones y respuestas ambiguas.
9. No agradecer al entrevistador, al terminar, el tiempo que le ha dedicado.
10. Hacer preguntas que no tienen que ver con el trabajo.
11. Tener una actitud soberbia, agresiva y/o engreída, que mira por encima del hombro al entrevistador.
12. Falta de madurez y comportamiento alterado y nervioso.
13. Incapacidad para afrontar críticas.
14. Hablar mal de otras empresas y/o personas.
15. Falta de tacto y cortesía: malos modales.

EL MUNDO LABORAL

Infórmate

A LAS EMPRESAS DE TRABAJO TEMPORAL (ETT)

Escucha esta noticia e infórmate de cómo funcionan. Luego, selecciona cuáles de los siguientes puntos son mencionados.

- Siempre ha sido difícil encontrar trabajo, antes y ahora.
- Las empresas de trabajo temporal son absolutamente necesarias hoy en día.
- Trabajan para conseguir el mejor empleado para otras empresas.
- Muchos empleados no están preparados para acudir a las ofertas que les proponen.
- Algunas empresas acuden a ellos en periodos en los que no tienen suficiente personal, como por ejemplo cuando es necesario cubrir a alguien que está de baja.
- Los trabajadores acuden a ellas porque saben que pueden encontrar un trabajo para toda la vida.
- Si se acude a la ETT, es necesario pasar algunos test, para ser seleccionado.
- Después de presentar el currículum, se le hace una pequeña entrevista en la ETT.

B ¿CÓMO REDACTAR UN BUEN CURRÍCULUM?

Escucha el programa y contesta a las preguntas que hablan de ello.

- ¿Cuál es la extensión recomendada de un currículum vítae?
- ¿Qué es importante en el formato?
- ¿Cuál es el objetivo que buscamos al enviar un currículum a una empresa?
- ¿Cuántas formas de presentarlo se consideran correctas?
- ¿Qué ventaja supone hacer un currículum cronológico?
- ¿Qué facilita al entrevistador el cronológico inverso?
- ¿En qué casos es aconsejable el funcional?

¿Qué hacer en una entrevista de trabajo?

¿Has estado en alguna entrevista de trabajo? ¿Cómo te sentiste? ¿Hiciste lo adecuado para obtener el trabajo? Con tu compañero, decide tres cosas que nunca deberían hacerse si acudes a una entrevista.

C CONSEJOS PARA PASAR CON ÉXITO UNA ENTREVISTA

Lee el siguiente texto y comprueba si vuestras ideas coinciden con lo que comentan. Después, coloca sus afirmaciones en el lugar adecuado.

Correcto

Conseguir una entrevista de trabajo no es fácil, pero pasarla con éxito tampoco. Los nervios y la presión por conseguirlo nos pueden jugar una mala pasada. Pero, si ya hemos conseguido lo más difícil, que es que nuestro currículum pase la primera selección, ¿qué pasos debemos seguir para triunfar?

Lo más importante es que conozcamos la empresa que nos quiere entrevistar. Es importante ir informado sobre cuál es el trabajo que desempeñan y sus intereses, para poder afrontar la entrevista con seguridad. Para ello nada mejor que mirar su página web. También es importante preparar la entrevista y conocer nuestros propios puntos débiles y cómo defenderlos. Evidentemente, es necesario que expliquemos bien cuáles son nuestros puntos a favor, para que ellos vean lo útil que podemos ser en su empresa, aunque no debemos excedernos en ello, pues podemos resultar demasiado pedantes. Otro punto importante es la imagen que ofreceremos. Hay que ir bien vestido, pero no llevar nunca ropa excesivamente llamativa. Es necesario ir bien afeitado o sin mucho maquillaje y nunca entrar con gafas de sol puestas y, por supuesto, debemos acudir solos y ser muy puntuales, a poder ser, llegar cinco minutos antes de la cita.

Una vez estemos en la entrevista, lo primero es saludar de manera educada y formal, por ejemplo, dar la mano y decir *buenos días* o *buenas tardes*, mientras miramos a los ojos del entrevistador, con eso demostraremos seguridad. Debemos ser conscientes de que el lenguaje corporal va a hablar por nosotros, por ello es primordial cuidar algunas cosas, como: el contacto visual con el entrevistador, debemos mirarle siempre a los ojos; la forma de dar la mano, debe ser de forma segura y no durante demasiado tiempo; el momento y la forma en el que nos sentemos, ya que da muy mala imagen hacerlo antes de que nos lo digan o estar recostado en la silla al hacerlo. Es esencial que dejemos tomar la iniciativa al entrevistador y estar atentos a lo que nos pregunte. Eso nos va a obligar a cuidar también nuestro lenguaje y a responder de manera clara y breve.

Por último, siempre será positivo mostrar entusiasmo por la posibilidad de conseguir el trabajo, pero, cuidado, nunca debemos llegar al punto de suplicar o mostrar la necesidad de conseguirlo. Algunas cosas consideradas nefastas por la mayoría de los entrevistadores es que les tuteen sin haber dado permiso antes, negarse a contestar algunas preguntas o interrumpirles continuamente. También nos restará puntos: actuar de forma agresiva o excesivamente sentimental; esperar mucho tiempo para responder, pues puede parecer que se oculta la verdad; estar distraído; o, por último y lo peor, hablar mal de anteriores empresas.

11 TEMA

EL MUNDO LABORAL

Reflexiona y practica

1 Las oraciones condicionales

1. Observa qué usamos cuando imaginamos una condición.

Situaciones poco posibles o imaginadas

- ***Si*** + imperfecto de subjuntivo + condicional
  Si fuera el director de personal, no haría regulación de empleo.

2. Esta chica está empezando en su profesión y tiene algunos sueños, pero también algunos miedos. ¿Cuáles crees que podrían ser los sueños y miedos de estas profesiones?

Si desfilara en la pasarela Gaudí, los diseñadores se fijarían en mí.

Claro que si tropezara mientras desfilo, toda la prensa lo fotografiaría. ¡Aggggg!

El presidente de tu país
El cantante n.° 1 del momento
La actriz que ha hecho la película más taquillera de los últimos tiempos
El peluquero de las estrellas

3. Observa qué usamos cuando nos planteamos cómo sería nuestra vida, si algunos hechos del pasado no hubieran sido así.

- **Si** + pluscuamperfecto de subjuntivo + condicional simple (la condición no se dio en el pasado y tiene consecuencias en el presente).
  Si hubiera traído los documentos, podría enseñárselos ahora, pero me los he olvidado en casa.
- **Si** + pluscuamperfecto de subjuntivo + condicional compuesto / pluscuamperfecto de subjuntivo (la condición no se dio en el pasado y las consecuencias también son en el pasado).
  Si hubiera hablado menos, no habría metido la pata en la entrevista.
  Si hubiera tenido más tiempo, le hubiera contado al entrevistador mis experiencias en otros campos.

PLUSCUAMPERFECTO DE SUBJUNTIVO

Hubiera o hubiese cantado / comido / vivido
Hubieras o hubieses cantado / comido / vivido
Hubiera o hubiese cantado / comido / vivido
Hubiéramos o hubiésemos cantado / comido / vivido
Hubierais o hubieseis cantado / comido / vivido
Hubieran o hubiesen cantado / comido / vivido

2 Una entrevista fallida

Sara ha ido a una entrevista de trabajo en una guardería infantil. No ha sido seleccionada y no entiende muy bien por qué. ¿Qué no debería haber hecho? Utiliza condicionales para ello.

Pues me eché mogollón de maquillaje y me puse la minifalda negra, ese que me pongo a veces para ir a la disco. Llegué cinco minutos tarde, pero en cuanto entré, me senté rápidamente, con las piernas y los brazos cruzados. Bueno, pues nada más terminar de hacerlo, el entrevistador, que aún no había levantado la vista de sus papeles, me dijo: «siéntese». Y entonces me miró y vio que yo ya estaba sentada... ¡Qué vergüenza! Empecé a mascar chicle, porque estaba nerviosa, pero cuando vi cómo me miraba, lo saqué y lo guardé en un pañuelo en el bolso. Mirando mi CV, me preguntó por qué estaba interesada en el trabajo si yo era de Económicas. Le dije que no encontraba trabajo en lo mío, así que me contentaba con cualquier cosa. También me preguntó algunas cosas sobre niños y yo le contesté lo que había leído en una revista... Por último, me preguntó por qué quería ese trabajo y le dije que, aunque no me gustaban demasiado los críos, creía que sería fácil cuidarlos. Y a todo esto él me miraba directamente a los ojos; de una manera tan fija que me sentí muy violenta y no pude mantener su mirada. Así que me pasé la mayoría del tiempo mirando la mesa y jugando con mis uñas. En fin, entonces nos despedimos y cogí mi bolso del suelo. Como lo había dejado abierto por si me pedía el CV, al recogerlo, se me cayeron todas las cosas: monedas, pintalabios, carnés, pastillas para los nervios...¡Qué horror! ¡Lo pasé fatal, de verdad! ¡Imagínate!

Cuenta a tus compañeros qué habría pasado si tus padres hubieran tenido otro trabajo (presidente del país, estrella del *rock*...) o si hubieras nacido en otra época o país (España, México, Venezuela...).

Reflexiona y practica

3 Las oraciones consecutivas

Si lo que queremos es explicar las consecuencias de algo, usamos estas formas:

GRUPO A

Indican el resultado de la «intensidad» de la acción de la oración principal. Son usadas para expresar una cualidad, acción o circunstancia en valor superlativo y llevan indicativo.

- **verbo + *tanto* (nombre) *que***
  Ayer trabajé tanto que he adelantado el trabajo de toda la semana.
  Ayer trabajé tanto tiempo que he adelantado el trabajo de toda la semana.
- **verbo + *tan* + adjetivo / adverbio + *que* + indicativo**
  Mi oficina es tan pequeña que no cabemos más de dos.
  Este informe está tan mal que es imposible darle el visto bueno.

4 Los tópicos sobre los trabajadores

Completa las frases como quieras.

a. Muchos empleados ocupan mucho tiempo de su horario laboral mirando y contestando su correo personal. Pasan tanto tiempo que ....

b. Las empleadas faltan más a sus trabajos por cuestiones familiares. Faltan tanto que ....

c. Algunos jefes tratan de manera autoritaria a sus empleados. Son tan prepotentes que ....

d. Muchas veces los empleados no se sienten motivados por sus empresas. Entonces se sienten tan mal que ....

5 Más tópicos sobre los trabajadores

Añade tú algunas ideas más sobre la relación entre trabajadores (hombres / mujeres) y la empresa utilizando estas formas.

GRUPO B

Indican la consecuencia o deducción de lo expresado en la oración anterior.

- ***de tal modo / manera / forma que* + indicativo / *de (un) modo / manera / forma que* + indicativo**
  Lo ha hecho de (tal) manera que nadie se ha dado cuenta.
- ***así que* + indicativo**
  He perdido las llaves, así que no podremos abrir este cajón.
- ***de ahí que* + subjuntivo** (se retoma una información que los dos interlocutores conocen)
  La empresa invierte mucho dinero en formación, de ahí que estemos ahora en este curso.
- ***con lo que / por lo que* + indicativo**
  Nos hemos pasado con las fotocopias, con / por lo que habrá que usar la fotocopiadora menos.
- ***por lo tanto / por eso* + indicativo**
  No tenemos tiempo. Por lo tanto, date más prisa y acaba de una vez. / He tenido un día pésimo. Por eso, estoy de tan mal humor.
- ***en consecuencia / por consiguiente* + indicativo** (en el lenguaje más formal y habitualmente escrito)
  Hemos enviado ya todos los documentos; en consecuencia, damos por terminada la transacción.
  Las negociaciones entre sindicatos y patronal se han roto. Por consiguiente, las personas afectadas por la remodelación de empleo de la empresa serán despedidas el próximo mes.

¿Igualdad en el trabajo?

En parejas, escribe un pequeño texto usando algunos de los marcadores vistos y explicando tu opinión sobre este tema: *¿Las mujeres y los hombres somos iguales en el trabajo?* Aquí tienes algunas cosas: mismo salario – mismos derechos familiares – mismas responsabilidades...

TEMA 11

EL MUNDO LABORAL

Así se habla

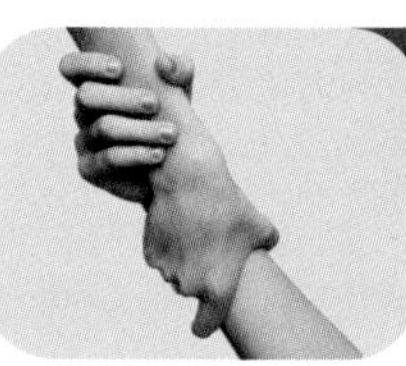

Échame una mano.

En estas notas dejadas en la oficina hay algunas expresiones, ¿puedes enlazarlas con los significados que aparecen más abajo?

Si alguien tiene a mano el reglamento interno de la empresa, que me lo pase. Necesito mirar algunas cosas sobre los derechos y deberes de los fumadores en el trabajo.

Hola, soy Marta: ¿Alguien puede ayudarme con la impresora? No hay manera de que funcione y me da miedo tocarla porque soy una manazas.

Mañana viene la mano derecha del director general a la reunión, así que hay que tenerlo todo listo.

Marta, Joaquín ha arreglado por fin la impresora. ¡Deberíamos haberle llamado antes, porque es un manitas!

Ha llamado Sonia, que no sabe cómo hacer el balance del mes, así que nos ha pedido que le echemos una mano. Está a las 12.00.

Miguel:
Necesitaba unos bolis y, como no tenía, eché mano de los tuyos. Mañana te los devuelvo.

1. Ayudar a alguien en algo.
2. Ser muy patoso con las manos.
3. Ayudante.
4. Ser muy hábil haciendo o arreglando cosas.
5. Tener disponible o de fácil accesibilidad algo.
6. Utilizar, aprovecharse de algo.

Otras expresiones.

Hay otras expresiones que podríamos usar en el ámbito laboral:

- **Rascarse la barriga:** No hacer nada, holgazanear.
- **Ser un trepa:** Persona que quiere progresar rápidamente y no tiene escrúpulos en hacer cualquier cosa para conseguirlo.
- **Romperse la cabeza:** Pensar mucho en un problema para solucionarlo o pensar mucho en algo complicado para hacerlo bien.
- **Dar el callo:** trabajar muy duro.

El diario de un estudiante.

Has acabado tu jornada como estudiante y siempre quieres tenerlo todo registrado. Escribe lo que ha pasado esta semana utilizando 5 de estas expresiones anteriormente vistas.

Semana del .... al .... de ....

Hoy he currado un montón porque el profe de...

EL MUNDO LABORAL

Tertulia

1. Lee el siguiente texto que da consejos para una entrevista de trabajo.

Exprésate

CUALIDADES Y DEFECTOS EN UNA ENTREVISTA PERSONAL

Este apartado es quizás el más difícil dentro del proceso de búsqueda de empleo. Antes de comenzar la búsqueda de empleo, debemos dedicar un cierto tiempo para reflexionar, ordenar ideas y aclarar objetivos. Es muy importante conocer nuestros puntos fuertes y débiles, ya que a lo largo del proceso debemos potenciar los primeros y neutralizar los segundos. Para poder *vendernos* al empleador, debemos comenzar por saber perfectamente nuestras cualidades y así explotarlas al máximo. Si conocemos nuestras carencias antes que los demás, podemos preparar los argumentos necesarios para neutralizarlos. Si no las conocemos, estas pueden evidenciarse en cualquier momento del proceso de búsqueda y, al no estar preparados, podemos parecer, además, una persona sin recursos y, entonces, perderemos mucho atractivo.

Para evitar esto, es muy conveniente elaborar una lista con nuestras cualidades y nuestros defectos. Es muy habitual, que en una entrevista nos pregunten por ellos. No se trata de explicar nuestras limitaciones, sino de expresar esas limitaciones, como *exceso de virtud (Soy demasiado exigente conmigo mismo, por lo que siempre estoy intentando mejorar mi trabajo).*

2. Del texto pueden extraerse los siguientes consejos. Coméntalos en clase:
   a. Procura que tus carencias parezcan virtudes a los ojos del entrevistador.
   b. Una manera de neutralizar tus puntos débiles es la de hacerlos parecer virtudes.
   c. Debes minimizar al máximo tus limitaciones, para mostrar que eres una persona con recursos.
   d. Tus cualidades pueden evidenciarse en cualquier momento y debes estar preparado para potenciarlas al máximo.

Simulación

1. Vamos a simular este proceso. En primer lugar, cinco son entrevistadores y se sientan aparte con un cartel con el puesto que se ofrece. Hay que encontrar entre la clase a la persona más idónea para ese trabajo, por lo que antes hay que plantearse el perfil de la persona ideal.

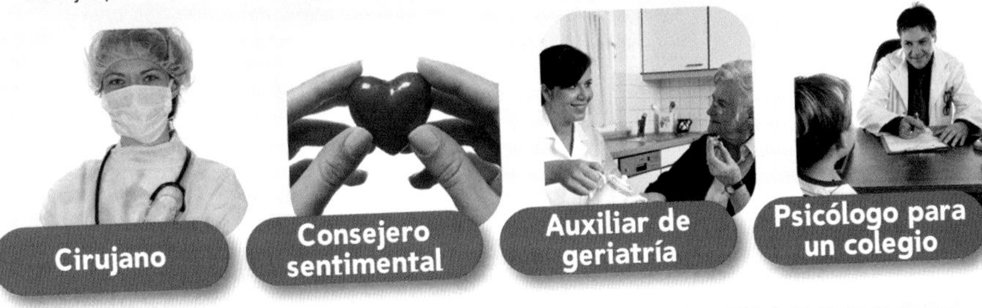

2. El profesor reparte entre los demás estudiantes tarjetas en las que aparecen los defectos más sobresalientes de sus nuevas personalidades.

Alarmista | **Excéntrico** | **Inestable**

3. ¡Comienza el juego! Tenemos media hora. Los demandantes de empleo se sentarán de uno en uno delante del pupitre de los entrevistadores para hacer todas las entrevistas que dé tiempo (5 minutos máximo cada una). Se puede inventar todo lo que queráis, pero no se puede mentir, de modo que si aparece algún defecto tendréis que intentar volverlos a vuestro favor.

4. Cada entrevistador explica qué alumno ha escogido y por qué. Un mismo alumno puede conseguir varios puestos de trabajo. Se comentará asimismo por qué no han escogido a los otros estudiantes y se preguntará a los estudiantes que se han quedado sin trabajo cómo ha sido su experiencia y qué opinan del proceso. Para terminar, se puede iniciar un coloquio sobre la experiencia real de los estudiantes haciendo entrevistas personales.

PREPÁRATE PARA ESTE TEMA

Para trabajar con este tema, revisa el léxico, comprueba las palabras que conoces, aprende las nuevas y realiza las actividades.

Cargos laborales

el / la auxiliar
el / la ayudante
el / la contratado/a
el / la director/-a de
el / la empleado/a
el / la encargado/a de
el / la estudiante en prácticas
el / la interino/a
el / la responsable de
el / la sustituto/a
el / la trabajador/-a autónomo/a
el / la trabajador/-a en prácticas

1 Ordena de menor a mayor responsabilidad.

auxiliar ayudante director encargado responsable sustituto

Lugares de trabajo

el almacén
el bufete
el departamento de recursos humanos / contabilidad / administración...
el despacho
la empresa
la fábrica
la granja
el laboratorio
la multinacional
la obra
la oficina
el quirófano
la tienda

2 Relaciona las profesiones con el lugar de trabajo.

a. abogado
b. científico
c. cirujano
d. constructor
e. dependiente
f. director de recursos humanos
g. ganadero

1. bufete
2. granja
3. laboratorio
4. obra
5. oficina
6. quirófano
7. tienda

Tipos de contratos

basura
en prácticas
estar sin contrato
estar a prueba
estar de prácticas
estar fijo
fijo
hacer horas extra
indefinido
jornada completa / media jornada
por obra
temporal
tener un empleo en
trabajar a jornada continua
trabajar a jornada partida
trabajar a turnos
trabajar por cuenta ajena
trabajar por cuenta propia

Objetos de trabajo

las botas
el cable
el casco
el delantal
el destornillador
el enchufe
el mono
los planos
el programa informático

3 Indica tres profesionales que utilizan cada uno de los siguientes objetos.

a. Casco ....
b. Delantal ....
c. Planos ....

PREPÁRATE PARA ESTE TEMA

DICCIONARIO

Características de los empleos

el anticipo
el ascenso
las comisiones
el contrato
el convenio
la cotización a la Seguridad Social
el despido
el día festivo
las dietas
el horario
los impuestos
la jornada laboral
la nómina
pagar en negro
las pagas extra
el plus de nocturnidad / peligrosidad
la previsión de riesgos laborales
la promoción
las retenciones
el sindicato
el sueldo bruto / neto
el derecho a la huelga

Actividades laborales

ascender a
atender a los clientes
clasificar / archivar documentos
coordinar un departamento / equipo
desarrollar / llevar a cabo un trabajo
distribuir un producto
ejercer una profesión / un oficio
firmar
hacer un pedido
hacer una presentación / un informe
meter datos en el ordenador
negociar
ocupar un puesto / una plaza / un cargo
preparar un presupuesto
realizar un trabajo físico / manual / intelectual
redactar
revisar una instalación
tener un puesto de trabajo cualificado / especializado / creativo
trabajar a tiempo completo / parcial
trabajar en equipo / en cadena
trabajar por cuenta propia / ajena

Búsqueda de empleo

el anuncio de trabajo
buscar trabajo
la carta de despido
la carta de recomendación
cobrar una indemnización
conseguir un trabajo / empleo / puesto
contratar a alguien
la demanda
despedir
el / la entrevistador/-a
firmar un contrato
la oferta
renovar un contrato
tener formación / experiencia en

Capacidades del candidato

capaz
dársele bien / mal
dominar
genial
inútil
saber de memoria
ser incapaz de
ser bueno / malo en
ser competente / incompetente
ser experto en
ser perfecto en / para
ser un genio / desastre en
tener capacidad de
tener facilidad para / con
tener habilidad para

4 Indica tres cosas en las que te consideras competente y dos en las que no. Explica los motivos.

Expresión escrita

Describe una profesión, el lugar donde se realiza y sus características. Describe también las condiciones laborales teniendo en cuenta una de las siguientes situaciones:

- Has encontrado tu puesto de trabajo ideal con las condiciones mejores. Estás tan contento que le escribes a un familiar contándoselo.
- Formas parte del sindicato de un gremio concreto y preparas un escrito para denunciar la situación laboral de un grupo de trabajadores de una empresa determinada.
- Eres un empresario y necesitas contratar a un trabajador para un puesto determinado. Piensa en el perfil del puesto y en las condiciones del contrato que puedes ofrecer y escribe un anuncio para encontrar al candidato ideal.

Lee el siguiente texto y responde a las preguntas.

OFICIOS PERDIDOS

El paso de los años, la industrialización e incluso el fenómeno de la emigración son algunos de los factores que han provocado que los trabajos artesanos hayan ido desapareciendo. Talleres artesanos que hace décadas ***bullían de actividad*** esperan ahora su sentencia de muerte y los últimos supervivientes de la tradición **afrontan** la peor crisis posible: el olvido.

5 Los artesanos pertenecen a una raza de profesionales con muchas crisis superadas. Repartían su género a pie, en mula o carro, dependían de la fuerza y la pericia de sus manos en tiempos difíciles y han mantenido durante generaciones actividades que hoy están a punto de darse por **extinguidas**. Cuando no había teléfonos móviles y el único correo que existía era el del cartero, los artesanos podían vivir de su trabajo. Ahora ya no. El olvido, la falta de ayudas, los vertiginosos cambios en los hábitos sociales y la crisis están asfixiando muchos oficios arte-
10 sanos que hace décadas ***tenían una actividad frenética*** asegurada.

Paco Giner (alfarero)

A los 9 años, Paco comenzó a trabajar en el taller de alfarería de su abuelo y su padre. Su actividad en los años 40 y 50 era frenética. Se trabajaba de 10 a 12 horas diarias, junto a un horno moruno, que alcanzaba los mil grados centígrados y que se hacía funcionar 24 horas. En verano el taller se convertía
15 en un infierno. «Podía hacer entre 400 y 500 macetas cada día. Con 12 años mi padre me hizo un tornito pequeño».

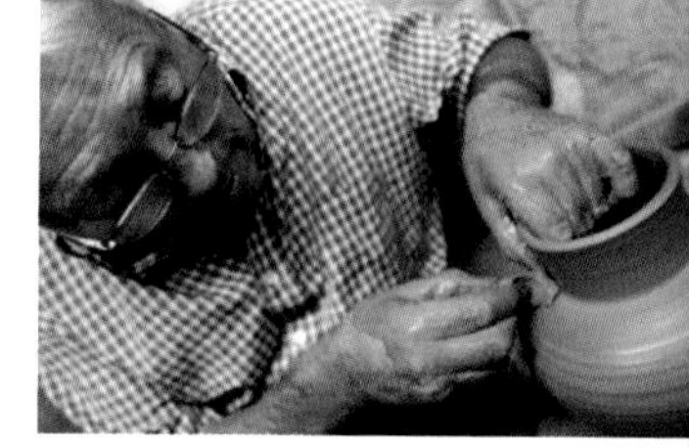

Su oficio artesano duró 57 años, hasta que ***colgó los hábitos***. «Solo estaba yo aquí y ahora ya no queda nadie. He sido el último. Tuvimos épocas buenas, pero luego empezó a **flojear** y la llegada de la cerámica china nos **remató**», explica
20 Giner.

De dar vueltas al torno le han dejado por herencia dos prótesis de rodilla y muchos recuerdos. Hace 70 años «se podían contar unos 20 profesionales y ahora solo quedará algún aficionado. Es una pena que se haya perdido algo que tuvo tantísima tradición. Debería montarse una escuela o algo que lograra recuperar este oficio».

Vicente Benlloch Alonso (fabricante de abanicos)

25 El arte de fabricar y decorar **abanicos** tenía hace más de medio siglo mucho futuro. El taller de Vicente Benlloch, tercera generación de artesanos encargados de decorar estas pequeñas obras de arte, sigue haciéndolo. Abanicos Antonio Benlloch sigue ilustrando a mano las telas de percal que **despliegan** pequeñas varillas de madera. «Es como pintar un cuadro, se tarda más o menos lo mismo». En esos pequeños lienzos, Vicente plasma escenas de Sorolla o Monet, rodeado de centenares de pinceles de todos los tamaños imaginables.

30 «Nosotros estamos todavía funcionando, pero la situación está cada vez más complicada. Antes cada semana teníamos, por ejemplo, cuatro **encargos** de 36 docenas cada uno. Ahora se hacen entre 2 o 3 docenas, según los pedidos», detalla este artesano.

Su abuelo abrió el taller familiar en el año 1918. «Pintaba para fabricantes y después nos encargamos nosotros directamente. Hace años no salíamos del taller, te venían los clientes. Ahora tienes que salir tú a buscarlos».

35 La importación de productos procedentes de oriente «supuso el principio del fin para muchos pequeños negocios familiares. Cada vez llegan más piezas que han inundado el mercado y eso está haciendo mucho daño». La competencia es brutal. Otro **tropezón** «fundamental» ha sido la falta de ayudas para que este oficio no se pierda. «Existe la posibilidad de ir a ferias, pero esto, tal y como están las cosas, resulta muy caro y muchas veces no podemos acudir. Deberían ponerse en mar-
40 cha iniciativas para promover y potenciar esta actividad».

El taller de Vicente exporta abanicos a muchos lugares del mundo como Italia, Portugal o México. «Fuera de nuestras fronteras se valora mucho este tipo de trabajo», asegura.

1 ¿Qué artesano expone estas ideas, Paco o Vicente?

a. Los productos orientales han hecho que se acabe su mercado.
b. Ha estado trabajando en este oficio desde niño.
c. Su negocio se enfrenta a la dura competencia de los productos orientales.
d. En el extranjero se valora más su trabajo que en su propio país.
e. Debería haber alguna institución que enseñara a otros su oficio.
f. En la actualidad, hay que ir a la búsqueda de posibles clientes, para vender.

2 En el texto aparecen destacadas tres expresiones. Deduce su significado por el contexto y elige una de las opciones.

Bullir de actividad
a. cocinar algo
b. aparecer repentinamente una tarea
c. tener siempre mucho trabajo

Tener una actividad frenética
a. pasar cosas locas
b. parar repentinamente el trabajo
c. tener muchísimos quehaceres

Colgar los hábitos
a. jubilarte o dejar un oficio
b. dejar de tener fe religiosa
c. guardar la ropa

3 Las palabras marcadas tienen más de un significado. Elige por el contexto la adecuada:

Afrontar
a. Hacer frente a un enemigo o problema
b. Poner cara a cara

Extinguir
a. Apagar un fuego
b. Hacer que se acaben del todo ciertas cosas que van desapareciendo

Flojear
a. Perder el ánimo, las ganas en una acción
b. Debilitarse, ir perdiendo fuerza

Rematar
a. Poner fin a la vida de algo que está muriendo
b. Vender la última mercancía a un precio más bajo

Abanico
a. Instrumento para darse aire
b. Serie, conjunto de diferentes propuestas

Desplegar
a. Mostrar, manifestar una cualidad
b. Desdoblar, extender lo que está plegado

Feria
a. Conjunto de instalaciones recreativas: carruseles, circos, puestos de dulces, etc., que se ponen en las fiestas
b. Lugar público donde se expone ganado o cosas para vender

Tropezón
a. Acción de tropezar, de dar con los pies en algo y perder el equilibrio
b. Impedimento

4 Encuentra la palabra adecuada para estas definiciones.

a. Sabiduría, práctica, experiencia y habilidad en hacer algo. (párrafo 2)
b. Arte de fabricar vasijas o utensilios de barro cocido. (párrafo 3)
c. Peticiones para que se traigan o se envíen cosas a otro lugar. (párrafo 7)

5 Contesta a las preguntas:

a. ¿Cuáles son las causas, según el autor, de la desaparición de estos oficios?
b. ¿Qué sentimientos transmite Paco Giner sobre su trabajo?
c. ¿Con qué se compara el trabajo de Vicente Benlloch?
d. ¿Qué problemas ve este artesano en su trabajo?

6 Para hablar:

- ¿Estás de acuerdo con los problemas que muestran los artesanos? ¿Consideras que es un trabajo que desaparecerá finalmente o, por el contrario, siempre permanecerá?
- Uno de los problemas que tienen los artesanos es la difusión de sus productos y la competencia de otros productos menos exclusivos. ¿Cómo crees que pueden vencer esas dificultades?
- ¿Has oído hablar de los cuchillos de Taramundi, del damasquinado de Toledo o de los encajes de bolillos de Camariñas? En grupos, buscad información sobre la artesanía española y explicadlo al resto.

LA CARTA FORMAL

Observa la carta de presentación que te da tu profesor.

Lee la siguiente carta de presentación, en la que hay 10 errores (vocabulario y registro). Encuéntralos y corrígelos. ¿Qué frases consideras que no sería necesario incluirlas en una carta de presentación?

Margaret Smith Gómez
338, Strand,
Londres WC2R 0JJ
Tfno.: 020 7879 4536

INDUSTRIAS GAVILLA, S.A.
C/ Independencia, 25, 2.º H
08005 - Barcelona
Att. Dpto. Personal
Ref: AGV

Londres, 03-04-2009

Señores:

Soy licenciada en Económicas, en la especialidad de Internacional, y este año terminaré mi Máster en Dirección de Empresas. En *El País* del día 27 de marzo leí tu anuncio ofreciendo prácticas para licenciados que hablen con fluidez dos o tres idiomas y tengan conocimientos de informática. Pues oye, durante mis estudios universitarios, he aprendido a trabajar con ordenadores y utilizo habitualmente Windows, Word, PowerPoint, Excel, Internet y Outlook Express.

Yo hablo inglés (que es mi lengua materna), francés e italiano fluido, que he ido mejorando durante los cursos intensivos en Milán que hago siempre en vacaciones. Ahora estoy estudiando español y me considero una persona que aprendo con rapidez, por lo que después de unos meses en España, te garantizo que podré hablar con fluidez español. Aprendí el francés así, en unas prácticas.

Soy una persona organizada, observadora y con facilidad para entablar relaciones, la mayoría de mis amigos los hago en mis puestos de trabajo; y puedo hacer bien tanto las labores en equipo como individuales. Con lo que creo que puedo ser útil a tu empresa. Solicité hacer prácticas en el Deutsche Bank en Londres, y este verano fui seleccionada. Mi trabajo consistía en asistir al director de la agencia en su trabajo diario y en el contacto telefónico con los clientes, algunos de ellos, un poco pesados. Pues eso, que estoy segura de que podré realizar un trabajo muy satisfactorio durante mis prácticas con vosotros, aprendiendo mucho con entusiasmo, y desarrollando mis habilidades y conocimientos, que ya son muchos.

Hasta pronto,

Maggy

Escribe ahora tu propia carta de presentación para uno de los anuncios aparecidos antes en la lección.

Tema 12

PURO TEATRO

Las representaciones teatrales están presentes en la historia de cualquier comunidad como expresión de sus deseos de divertirse, como expresión de sus inquietudes y como lugar común de encuentro. Pero también es un arma que activa las conciencias y que polemiza sobre sus asuntos más cotidianos.

- **Infórmate:** Las compañías teatrales de renombre
- **Reflexiona y practica:** Estilo indirecto en pasado
- **Así se habla:** Expresiones coloquiales con espectáculos
- **Entonación:** Como actores

- **Taller de lectura:** Escenarios mágicos
- **Taller de escritura:** La reseña o la crítica

Observa estos escenarios. ¿Qué tipo de representaciones teatrales te imaginas que se desarrollan normalmente aquí? ¿Qué tipo de espectáculos prefieres tú? ¿Por qué?

Teatro romano (Mérida)

Corral de comedias (Almagro)

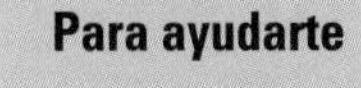

Para ayudarte

Alternativo
Barroco
Clásico
Comercial
Experimental
Musical
Ópera
Zarzuela

Teatro Liceu (Barcelona)

Teatro de la Zarzuela (Madrid)

Palacio de las Artes Reina Sofía (Valencia)

Sala Form Arte (Malabo)

12 TEMA

PURO TEATRO

A EL TEATRO INDEPENDIENTE

Un estudiante de Arte Dramático habla con un amigo sobre el teatro independiente en España. Escucha la audición una vez y contesta si las siguientes afirmaciones son verdaderas o falsas.

Infórmate

El teatro independiente empezó en España en los 80.	V	F
El teatro mayoritario de los años 60 era un teatro comercial.	V	F
En los años 70 los dramaturgos tenían mayor libertad que antes.	V	F
Els Joglars fue una compañía de teatro en los años 60.	V	F
Els Comediants representan adaptaciones de autores clásicos.	V	F
La Fura dels Baus hace un teatro que a todo el mundo le entusiasma.	V	F

La Fura dels Baus

Els Comediants

Els Joglars

Ahora vuelve a escuchar la audición y responde a las siguientes preguntas:

- ¿Por qué surgieron las compañías de teatro independiente en España?
- ¿Qué buscaba el teatro de cámara?
- ¿Por qué le gustan al chico Els Comediants?
- ¿Cuál es la particularidad de La Fura dels Baus?
- ¿Qué importante acontecimiento empezó con una representación de esta compañía?
- ¿Qué características atribuirías al teatro independiente y por qué?

B UNA REPRESENTACIÓN DE TEATRO

Dos chicas hablan de la representación de la obra de La Cubana: *Cegada de Amor*. Escúchala.

- ¿Por qué discutían dos personas del público?
- ¿Quién quería echarlos del teatro?
- ¿Por qué los actores de la película dejaban de actuar?
- ¿Qué fue lo que a la chica le sorprendió tanto de la obra?
- ¿Cómo cree la chica que los actores conseguían el efecto de salir de la pantalla de cine?
- ¿Por qué su amiga dice que estaban muy bien sincronizados?

Da tu opinión

¿Te habría gustado ser actor de teatro? ¿Qué características crees que debe tener este tipo de actores?

C EL TEATRO EXPERIMENTAL

Els Comediants es un grupo de teatro experimental de Cataluña. Lee este fragmento sobre la compañía y contesta a las preguntas.

Els Comediants es un colectivo formado por actores, músicos y artistas de todo tipo dedicado al mundo de la creación. Surgió en 1971 bajo el signo de la **transgresión**. Por un lado, frente al teatro oficial, apostaron por uno basado en experiencias colectivas sin texto ni director. Por el otro, buscaron la recuperación de un teatro vivo e interdisciplinario al modo de aquellos viejos comediantes que llenaban las plazas con solo una carreta y mil artimañas para contar la misma historia de un modo distinto cada vez.

Desde sus orígenes, han estado unidos al **espíritu festivo de la existencia humana**. Todas sus creaciones, rituales, ceremonias paganas, populares, religiosas o iniciáticas celebran el paso cíclico del hombre en la Tierra. Buscan reactivar las profundas raíces festivas que les cohesionan como especie y que les conectan con la naturaleza de la que formamos parte. De este modo, en sus obras no existe limitación alguna. Cualquier sitio sirve de escenario (una calle, un barrio entero, un río, el Acueducto de Segovia, la estación de metro de Times Square…), cualquier elemento es objeto de dramatización y cualquier lenguaje (mimo, *clown*, títeres...) es válido para llegar al espectador sin distinción de edad.

Plantean un **teatro de los sentidos**, de colores, olores y texturas, pero también de **provocación**. La provocación del optimismo frente a ciertas realidades actuales; la de redescubrir lo cotidiano frente a la imparable rueda del tiempo; la del compromiso con el presente, el abrir los ojos a la gente para que vuelva a ver el mundo como una maravillosa gran casa de cultura y amistad de la que todos tenemos que cuidar antes de que sea demasiado tarde.

El tiempo es un mago que ordena la vida: nos da la oportunidad de ser niños para vislumbrar un inmenso futuro sin darle ninguna trascendencia; en la juventud, cuando el enfrentamiento y la radicalización son el motor de la vida, nos descubre el placer, la energía y el amor; en la madurez nos propone el discernimiento y nos manifiesta que todo tiene un sentido y que no vale la pena derrochar el tiempo. Sería fantástico si cada etapa de nuestra existencia, personal y colectiva, fuera una suma ¡no una negación! de las etapas, los procesos y los aprendizajes anteriores.

Texto adaptado de http://www.comediants.com

- Encuentra en el texto rasgos de este teatro que rompen con el teatro clásico.
- Las palabras en negrita muestran aspectos importantes del teatro de Els Comediants. ¿Puedes explicarlos?
- Las festividades y la naturaleza son importantes en este teatro. ¿Por qué?
- El último párrafo habla de las etapas de la vida de una persona. ¿Te parece una buena descripción? ¿Por qué?
- ¿Crees que la pretensión de estas obras es solo la búsqueda de la diversión?

Infórmate

interactúa

El mundo de la farándula

- ¿Has visto alguna vez alguna obra de teatro experimental? ¿Cómo fue la experiencia?
- ¿Qué diferencias ves con el teatro clásico? ¿Prefieres el teatro clásico o el más vanguardista?

PURO TEATRO

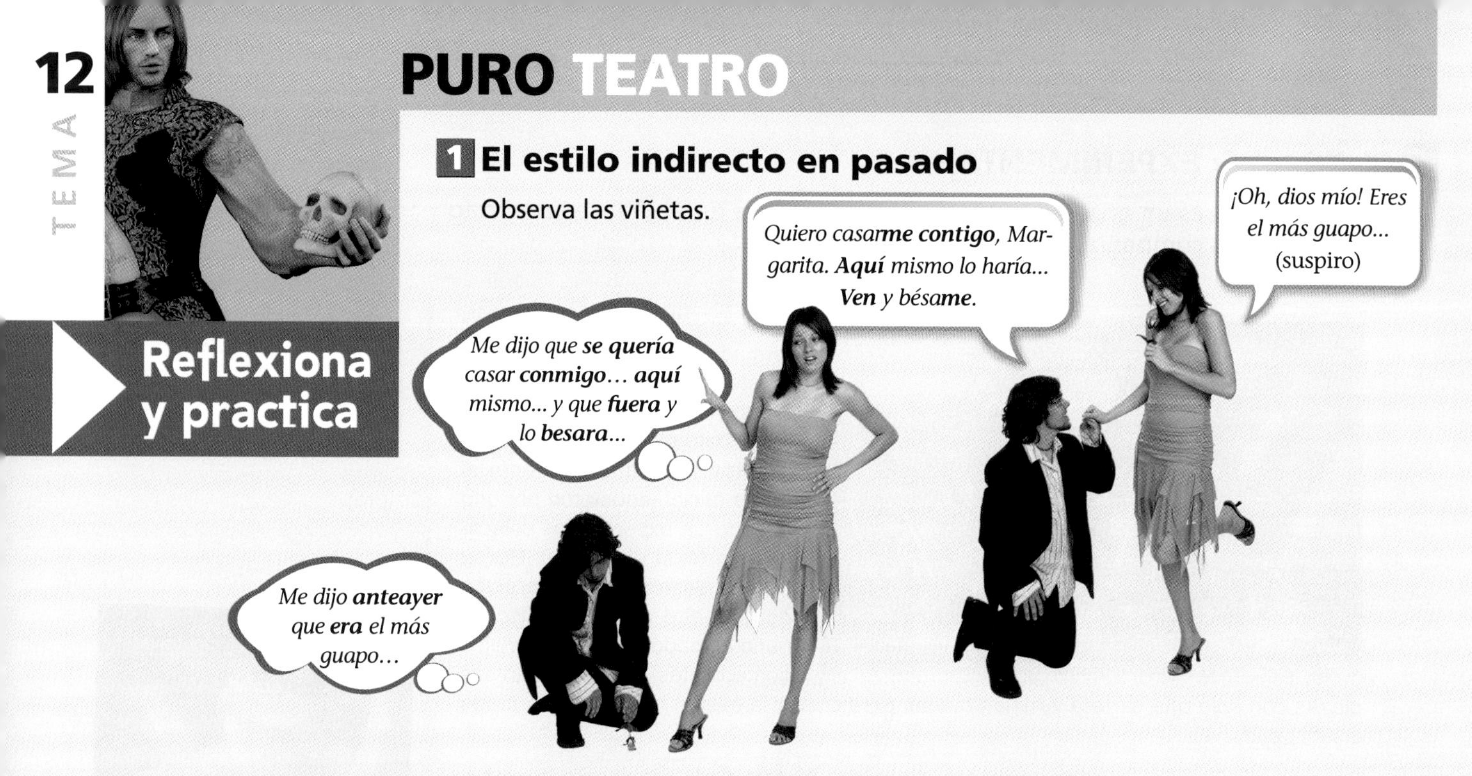

1 El estilo indirecto en pasado

Observa las viñetas.

2 Cambios de formas verbales en el estilo indirecto pasado

Observa los cambios en los tiempos verbales.

- Si estamos reproduciendo una información que en ese momento se refería al tiempo presente, se utiliza el pretérito imperfecto.
  - → Mar adentro ***es*** *un peliculón basado en una polémica historia real.*
    - → *Dijo Rita que* Mar adentro ***era*** *un peliculón basado en una polémica historia real.*
- Si estamos reproduciendo una información sobre el pasado, usamos el pluscuamperfecto.
  - → *Hace unos años,* El día de la bestia ***tuvo*** *mucho éxito por su originalidad y por su humor.*
    - → *Dijo Dori que, hacía unos años,* El día de la bestia ***había tenido*** *mucho éxito por su originalidad y por su humor.*
- Si transmitimos información con referencia al futuro, usamos la perífrasis *ir a* + infinitivo (para acciones planeadas), o el condicional (indicando posibilidad).
  - → *Mañana* ***voy a ir*** *al cine a ver* Las razones de mis amigos, *que creo que está muy bien.*
    - → *Dijo Marlene que al día siguiente* ***iba a ir*** *al cine a ver* Las razones de mis amigos, *que creía que estaba muy bien.*
  - → *A lo mejor dentro de un año esa actriz* ***será*** *la nueva promesa del cine.*
    - → *Dijo Marisol que después de un año esa actriz* ***sería*** *la nueva promesa del cine.*
- Si lo que transmitimos son palabras dichas con la intención de influir sobre el comportamiento de otras personas (consejos, órdenes, quejas, peticiones, etc.), usamos el pretérito imperfecto de subjuntivo.
  - → ***Apaga*** *el móvil, por favor, que nos van a llamar la atención.*
    - → *Ayer en el cine Olivia me dijo que* ***apagara*** *el móvil, que nos iban a llamar la atención.*

3 El sueño de Margarita

Transforma el texto siguiente al estilo indirecto, recordando las palabras de Margarita, y continúa en estilo indirecto inventándote el final de su sueño...

Ha sido la mayor de las pesadillas que he tenido últimamente. La tuve hace una semana. Imagínate: Es mi gran día. Debuto en el mejor teatro de Madrid. Soy la gran estrella. Todos están esperando verme aparecer en el escenario. Mientras espero, pienso: «Lo haré majestuosamente, como una diosa que está por encima de todo, y al terminar el espectáculo, el público está rendido a mis pies». De pronto vuelvo en mí y le doy instrucciones a mi ayudante: «Pásame el tutú», «Dame un masaje en la pierna para que entre en calor»... De nuevo vuelvo a ensimismarme y me pregunto: «¿Me darán el premio a la mejor bailarina de la compañía? ¿Nos iremos de gira por toda Europa y al terminar la temporada recibiré las alabanzas de todos los críticos?». Entonces se abrió el telón y todo salió mal...

4 Explicando, explicando

Ayer viste una obra de teatro que te encantó. Gracias a tu memoria prodigiosa y a una parte del libreto que ha caído en tus manos, deberás explicar qué ocurría en estilo indirecto.

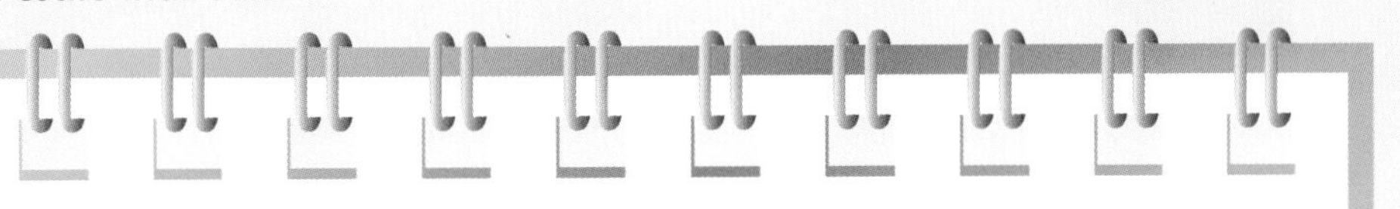

ACTO III

Caballero: Te amo, ¡oh, amada mía!, y siempre me tendrás aquí, cerca de ti.

Dama: ¿De verdad, mi señor?

Caballero: Déjame subir hasta tu habitación y te llenaré de besos.

Dama: No puedo, mi señor. Si mi padre se enterara...

Caballero: No se enterará. Lánzame una cuerda y subiré por aquí como un pajarito para cantarte en tu precioso oído bonitas canciones de amor.

Dama: Pero… mi señor, mi padre está en la habitación de al lado, te oiría.

Caballero: Esta noche estás tan bella... ¡Déjame tocar tu pelo, préstame tus ojos para mirarme en ellos, déjame besar tus labios...!

Dama: Pero mi padre...

Caballero: Tu padre lo sabe ya. Sabe que te quiero y no le importará. Además, es un hombre tan amable y comprensivo...

Dama: ¿No? Entonces... tal vez... ¡mira! Está entrando por la puerta.

Caballero: ¿Qué? Tu padre... ¿Ese ogro?

Dama: ¿Qué has dicho?

Caballero: Quiero decir, ese «logro» de perfección de la naturaleza... ¡¡¡¡uffffffff!!!! Tengo que irme, no recordaba que había dejado mi caballo «aparcado en doble fila».

Dama: Pero mi señor...

Caballero: Me tengo que ir, mi bella... Toma la flor y escríbeme. Si tengo tiempo, te contestaré. Mi corazón se va apenadísimo...

(El caballero se marcha corriendo, mientras la dama se queda en el balcón sorprendida y su padre le pregunta con quién está hablando).

¿Y qué pasaba en la obra?

Pues mira, primero salía un caballero que le decía a su dama que la amaba y que siempre estaría en su corazón. Entonces ella le preguntaba que si...

Reflexiona y practica

5 Verbos introductorios

En el estilo indirecto se utilizan muchos verbos introductorios además de *decir* y *preguntar*. Observa el cuadro y utilízalos para transformar las oraciones siguientes.

- invitar a
- insistir en
- ordenar / mandar
- contar
- gritar
- pedir
- aconsejar
- rogar
- prohibir
- advertir
- animar a
- negar
- lamentarse de / quejarse de
- añadir

- Ayer en el espectáculo el mago me sacó al escenario y me lo pasé genial…
- Siéntate, siéntate... Estás en tu casa.
- ¡BAJA EL VOLUMEN…! Estoy hablando por teléfono y no puedo oír nada.
- ¿Puedes enseñarme a hacer una pirueta?
- No es «trigo limpio». Ten mucho cuidado con la acróbata.
- Yo NO he robado las entradas. Fue otro. De verdad... Fue otra persona.
- No dejes la taquilla hasta que no llegue tu sustituto.
- Venga, ensaya, ¡ya verás como en el escenario estarás grandiosa...!
- Vete al médico, será lo mejor. Esa lesión tiene mala pinta...
- Ponte a prepararlo todo para el ensayo de mañana.
- Por favor, por favor, déjeme actuar, ¡aunque sea solo de extra!...
- Estoy harta. Ella se lleva los aplausos, pero la que hace todo el trabajo soy yo.
- Y eso fue todo. ¡Ah!, y me olvidaba, fue la primera vez que me llevaron rosas al camerino.
- De verdad, tómate algo… ¡Venga! Que lo pago yo… Te lo repito, quédate y tómate un café.

PURO TEATRO

Así se habla

Esto es de película.

Aquí tienes una serie de expresiones relacionadas con el mundo del espectáculo. Señala la opción que creas que define mejor su significado.

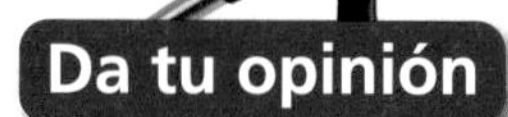

1. Ser (algo) de película.
- **a)** Ser sorprendente.
- **b)** Ser genial, muy bueno.
- **c)** Ser imaginario.

2. Tener pocas luces.
- **a)** Estar deprimido.
- **b)** Estar poco inspirado.
- **c)** No ser muy inteligente.

3. Irse con la música a otra parte.
- **a)** Marcharse.
- **b)** Salir de juerga.
- **c)** Mandar callar a alguien que hace ruido.

4. Llevar la batuta.
- **a)** Ser el líder del grupo.
- **b)** Ser el cantante principal.
- **c)** Tener afán de protagonismo.

5. Hacer algo sin ton ni son.
- **a)** Hacer algo sin medios.
- **b)** Hacer algo sin sentido.
- **c)** Hacer algo impulsivamente.

6. Ser un teatrero / un peliculero.
- **a)** Actuar muy bien.
- **b)** Ser un mentiroso.
- **c)** Reaccionar y actuar exageradamente.

7. Montar un número.
- **a)** Gastar una broma.
- **b)** Ser muy convincente.
- **c)** Dar un escándalo, reaccionar exageradamente.

8. Hacer el payaso.
- **a)** Maquillarse mucho.
- **b)** Actuar en la calle.
- **c)** Hacer cosas para llamar la atención.

9. Andar sobre la cuerda floja.
- **a)** Estar en una situación de riesgo.
- **b)** Hacer equilibrios con el dinero.
- **c)** Ser poco hábil, patoso.

10. Hacer malabares.
- **a)** Hacer equilibrios para llegar a fin de mes.
- **b)** Jugar.
- **c)** Ser habilidoso.

11. Ser una marioneta.
- **a)** No tener voluntad propia.
- **b)** Ser muy gracioso.
- **c)** Ser guapo.

Da tu opinión

¿Existen expresiones parecidas en tu lengua?

Ahora te toca actuar a ti.

Completa con las expresiones anteriores. Invéntate tú otras con cada una de las expresiones.

- Tuvimos que .... para llegar a fin de mes con tan poco dinero.
- ¡El hotel era de ensueño, de verdad, precioso, ...!
- Creyó que se colaban y se puso a protestar y a insultar a todo el mundo. ¡Luego, encima, no tenía razón! ¡....................................!
- La situación en la empresa está muy delicada y a lo mejor le echan, así que ya puede cuidar lo que dice porque ....
- Bueno, chicos, ya es hora de irse, así que recogemos todos los bártulos y... ¡....................................!
- No puedes fiarte mucho de lo que diga, la verdad... Lo exagera todo y es un poco cuentista... ¡.................. ....!
- Siempre le hacen caso a ella. ¡....................................!
- Siempre hace cosas sin sentido y peligrosas. ....
- Los niños a veces hacen cosas ...., sin saber por qué.
- Se puso ese sombrero ridículo y empezó a gritar y a hacer tonterías por la calle mientras todos le miraban. ¡....................................!
- Se deja llevar por los demás. ....

PURO TEATRO

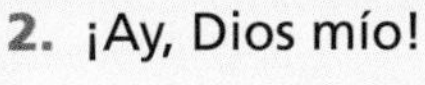

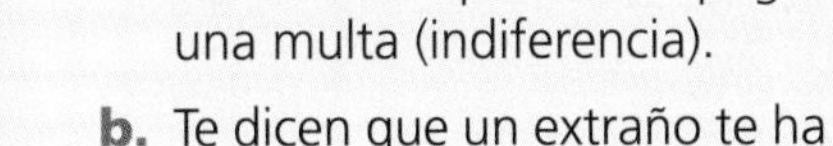

Curso de entonación. Como actores

¿Sabías que los actores hacen ejercicios de entonación para representar mejor sus papeles? Hazlo tú también y di con la entonación adecuada estas frases:

1. ¿Cuánto dinero?
   - **a.** Eres un millonario al que le han dicho que debe pagar una multa (indiferencia).
   - **b.** Te dicen que un extraño te ha dejado una herencia multimillonaria (asombro).
   - **c.** Ha llegado la factura de la luz y debes pagar mucho (susto).

2. ¡Ay, Dios mío!
   - **a.** Te han dicho que tu serie favorita no va a volver a emitirse más (tristeza).
   - **b.** Quien más te gusta en el mundo te cuenta algo heroico que ha hecho (admiración).
   - **c.** Estás en la consulta del dentista y te dice que tiene que arrancarte tres dientes (miedo).

Exprésate

3. He sido yo.
   - **a.** Tu profesor pregunta quién ha escrito la mejor redacción de la clase (orgullo).
   - **b.** En una obra de teatro suena tu móvil y el actor pregunta quién ha sido (timidez).
   - **c.** Ha habido un accidente y cuando llega la policía debes decirles que es tu culpa (nervios).

Ahora en grupos, lee con la entonación adecuada estos fragmentos de unas obras teatrales de José Luis Alonso de Santos.

BAJARSE AL MORO

(Se abre la puerta de la calle y aparece la cabeza de CHUSA, veinticinco años, gordita, con cara de pan y gafas de aro).

CHUSA: ¿Se puede pasar? ¿Estás visible? Que mira, que esta es Elena, una amiga muy maja. Pasa, pasa, Elena. (Entra y detrás ELENA con una bolsa en la mano, guapa, de unos veintiún años, la cabeza a pájaros y buena ropa). Este es Jaimito, mi primo. Tiene un ojo de cristal y hace sandalias.

ELENA: (Tímidamente). ¿Qué tal?

JAIMITO: ¿Quieres también mi número de carné de identidad? No te digo. ¿Se puede saber dónde has estado? No viene en toda la noche, y ahora tan pirada como siempre.

CHUSA: He estado en casa de esta. ¿A que sí, tú? No se atrevía a ir sola a por sus cosas por si estaba su madre, y ya nos quedamos allí a dormir. (Saca cosas de comer de los bolsillos). ¿Quieres un bocata?

JAIMITO: (Levantándose del asiento muy enfadado, con la sandalia en la mano). Ni bocata ni leches. Te llevas las pelas, y la llave, y me dejas aquí colgao, sin un duro... ¿No dijiste que ibas a por papelillo?

CHUSA: Iba a por papelillo, pero me encontré a esta, ya te lo he dicho. Y como estaba sola...

JAIMITO: ¿Y esta quién es?

CHUSA: Es Elena.

JAIMITO: Eso ya lo he oído, que no soy sordo. Elena.

ELENA: Sí, Elena.

JAIMITO: Que quién es, de qué va, de qué la conoces...

CHUSA: De nada. Nos hemos conocido anoche, ya te lo he dicho.

LA ESTANQUERA DE VALLECAS (adaptado)

Antiguo estanco de Vallecas. Detrás del mostrador despacha una anciana. De pronto aparecen dos hombres; entra uno y el otro se queda vigilando la puerta.

TOCHO: Un paquete de Fortuna, señora. (La anciana se lo da y él se busca el dinero disimulando. De pronto, aparece en las manos del más joven una pistola). ¡Manos arriba! ¡Esto es un atraco, como en el cine! ¡Señora, la pasta o la mando al otro barrio!

ABUELA: ¡Ay, Jesús, María y José! ¡Ay, Cristo bendito! ¡Santa Águeda de mi corazón! ¡Santa Catalina de Siena!...

TOCHO: Déjese de santos. No nos busque complicaciones y a lo mejor le dejamos pa' la compra de mañana. ¡Venga, que se nos hace tarde y nos van a cerrar! ¡Qué pasa! ¡La pasta o la pego un tiro, ya!

LEANDRO: (Entrando desde la puerta). ¿Qué? ¿Está sorda o no oye? ¡El dinero!

ABUELA: ¡Socorro! ¡Socorro, que nos roban!

LEANDRO: ¡Agarra a esa loca, que nos manda a los dos a la cárcel!

TOCHO: ¡Calle! ¡Calle, condenada, o la...! (Tocho la sujeta tapándole la boca, mientras Leandro saca una navaja y avanza hacia la vieja).

LEANDRO: ¡A ver si nos estamos quietas! Esto no es una broma. Si grita otra vez, le saco las tripas al aire. (Se oye un ruido arriba) .

TOCHO: ¡Chiss, hay alguien arriba! ¡La escalera, cuidado! (Sujeta a la vieja apuntándola, mientras Leandro, navaja en mano, se esconde para coger al que baje. Aparece entonces Ángeles, la nieta, delgaducha y con gafas).

ÁNGELES: ¿Pasa algo, abuela? ¿Quiere las gotas?...

TOCHO: Esto no se arregla con gotas. Bienvenida a la reunión, pequeña.

PREPÁRATE PARA ESTE TEMA

Para trabajar con este tema, revisa el léxico, comprueba las palabras que conoces, aprende las nuevas y realiza las actividades.

Acciones

dirigir
componer
contar
ganar
hacer un papel
hacer una película
interpretar
rodar
tratar de

1 Relaciona.

a. componer	**1.** una historia
b. contar	**2.** la música
c. interpretar	**3.** un papel
d. ganar	**4.** una película
e. rodar	**5.** un premio

Representaciones teatrales

el acto
el / la actor / actriz principal
el / la actor / actriz secundario/a
el argumento
el arte escénico
el / la autor/-a teatral
cancelar un espectáculo
la comedia
la compañía de teatro
la coreografía
la escena
el espectáculo
el / la espectador/-a
el estreno
el festival de teatro
el final feliz
la función
hacer una obra de teatro
la iluminación
la interpretación
ir de gira
el monólogo
montar un espectáculo
el / la narrador/-a
la obra
el papel
poner en escena
la prosa
la representación teatral
representar una obra
el tema
la temporada
la tragedia
la tragicomedia
el verso
el vestuario

2 Define estas palabras.

1. Comedia ....
2. Tragedia ....
3. Zarzuela ....

Profesionales

el acomodador
el / la actor / actriz
el actor principal
el actor secundario
compositor
el crítico
el director
el maquillaje
el productor
el protagonista
el técnico de sonido
el vestuario

Valorar una obra

absurdo
buenísimo/a
el desastre
estupendo/a
excelente
fantástico/a
fatal
fenomenal
genial
malísimo/a
la maravilla
no estar del todo mal
original
pasárselo bien / genial / fenomenal
ridículo/a
valer la pena

3 Clasifica las valoraciones en positivas y negativas.

Valoraciones positivas	Valoraciones negativas

Partes de un teatro

el asiento
la butaca
el escenario
el decorado
la fila
el guardarropa
los focos
el palco
la sala de conciertos
la taquilla
el telón

Expresión escrita

Escribe sobre una obra de teatro que has visto. Elige una de las siguientes situaciones, describe la obra y la representación y valórala:

- Le mandas un correo electrónico a un amigo recomendándole o no la obra.
- Escribes una crítica para el periódico local.

Lee el siguiente texto y contesta a las siguientes preguntas.

ESCENARIOS MÁGICOS

Si te gusta el teatro y estás en España, te proponemos dos festivales de teatro muy especiales, por la historia y el encanto del teatro en donde tienen lugar sus **representaciones**, y por su prestigio como festivales.

FESTIVAL INTERNACIONAL DE TEATRO CLÁSICO de Almagro:

Este festival tiene lugar en julio, en el corral de comedias de Almagro, si-
5 tuado en la plaza Mayor de este pueblo de La Mancha. Los corrales de comedias eran los teatros de la España del siglo XVII. El de Almagro es el único corral de comedias que se ha conservado con la estructura originaria intacta.

Durante el Siglo de Oro toda representación teatral se denominaba «comedia», aunque se tratara de una trage-
10 dia o un drama. Lo más característico de estos teatros era la separación de hombres y mujeres, dada la estricta moral de la época: los hombres ocupaban el patio de pie, y o bien estaban sentados en **gradas** laterales o en bancos si eran de clase noble; y las mujeres se sentaban en la «cazuela», espacio situado en frente del escenario, en la primera planta. Los niños tenían prohibida la entrada.

En los corrales, destacaban dos figuras: «el mantenedor del orden»: mozo que con un **garrote** templaba los áni-
15 mos de los más **exaltados**; y «el apretador», que apretaba a las mujeres de la cazuela para que cupiera más gente, ya que el **aforo** era ilimitado.

En el siglo XVIII, Felipe V prohibió las funciones en los corrales por la falta de higiene, el peligro de incendios y los desórdenes que en ellos se producían con demasiada frecuencia. Los corrales siguieron distintas **suertes**, y el de Almagro siguió siendo lo que originariamente era: **mesón** y **posada**, lo que contribuyó a su conservación.

20 **FESTIVAL DEL TEATRO CLÁSICO de Mérida:**

Si quieres viajar aun más lejos en el tiempo, acude a este festival en la ciudad extremeña de Emérita Augusta, durante los meses de julio y agosto, en un auténtico teatro romano. La construcción del teatro fue ordenada por el cónsul Marco Vipsanio Agripa, en torno al año 16 o 15
25 a. C.

No obstante, la fachada que se conserva en la actualidad es del siglo I o II, posiblemente en la época del emperador Trajano, y hubo otra **remodelación** de la época de Constantino, en la que se construyeron nuevos motivos arquitectónico-decorativos, y una **calzada** que rodea el monumento.

El teatro es uno de los principales conjuntos arquitectónicos de España, y fue declarado Patrimonio de la Huma-
30 nidad en 1993. De él, además de su belleza, destacamos su buena acústica, que hace innecesario el uso del micrófono.

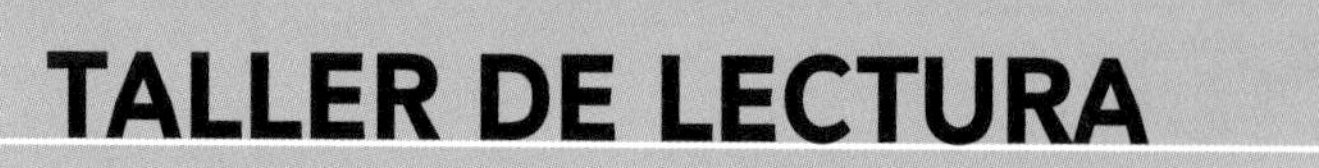

1 Algunas palabras del texto tienen más de un significado. Elige entre las opciones el significado tal y como debe entenderse en el contexto en el que aparecen.

Representaciones
- **a.** funciones de teatro
- **b.** imágenes que representan algo

Gradas
- **a.** escalones en la entrada de un edificio
- **b.** asientos de escalón largo en un estadio, teatro, etc.

Garrote
- **a.** palo grueso y fuerte
- **b.** procedimiento para ajusticiar a condenados

Exaltado
- **a.** que se deja llevar por la pasión, perdiendo la compostura
- **b.** elevado y ensalzado por sus méritos

Aforo
- **a.** capacidad de un barril
- **b.** número máximo de personas en un recinto

Suerte
- **a.** buena fortuna
- **b.** lo que puede ocurrir para bien o para mal

Mesón
- **a.** partículas de materia
- **b.** lugar donde se sirven comidas y bebidas

Posada
- **a.** lugar donde se hospedan viajeros
- **b.** la que permanece en una misma posición para posar

Remodelación
- **a.** volver a moldear una figura
- **b.** reforma

Calzada
- **a.** parte central de la calle, entre dos aceras
- **b.** vía construida por los romanos

2 Responde a las siguientes preguntas sobre el texto.

- **a.** ¿Qué tienen de peculiar los festivales de teatro del texto?
- **b.** ¿Dónde está el corral de comedias, en el centro del pueblo o en las afueras?
- **c.** ¿A qué tipo de representación teatral se la llamaba «comedia» en la época?
- **d.** ¿Cuáles eran las funciones del mantenedor del orden y del apretador?
- **e.** ¿A qué crees que se refiere el texto con el término «desórdenes»? (línea 18)
- **f.** ¿Por qué se conservó tan bien el corral de comedias de Almagro?
- **g.** La palabra «corral» designa actualmente un sitio cerrado y descubierto para guardar animales: gallinas, caballos… ¿Por qué crees que se llamó así a estos teatros?
- **h.** ¿Cuántas veces fue remodelado el teatro de Mérida durante la época romana?

3 Teniendo en cuenta lo leído en el texto y siguiendo tu intuición, relaciona cada una de las siguientes afirmaciones sobre el teatro con el escenario que las caracterizaba: época romana y teatro de Mérida o siglo XVII y corral de comedias de Almagro (¡Atención! Alguna podría ser una característica de ambos).

- **a.** Era un teatro permanente que se establecía en el patio interior de las casas.
- **b.** En muchas de las obras, todos los actores eran hombres, aunque interpretaran a mujeres.
- **c.** A los hombres del pueblo que asistían a las obras y se quedaban de pie, en la parte de atrás, se les llamaba «mosqueteros».
- **d.** El público masculino se permitía el lujo de gritar, arrojar objetos a los actores o arruinar las comedias si estas no eran de su agrado.
- **e.** En muchas obras, los actores llevaban máscaras.
- **f.** En este festival, se han representado obras como Electra y Edipo Rey.
- **g.** En este festival, se han representado las obras de D. Juan, La Celestina y La Vida es Sueño.

Teatro romano de Mérida

Corral de comedias de Almagro

LA RESEÑA O LA CRÍTICA

Observa la descripción de la reseña que te da tu profesor.

Lee la siguiente reseña de una película española de 1999 y responde a las preguntas que hay a continuación.

El director José Luis Cuerda emprendió la tarea junto a Rafael Azcona de convertir tres cuentos de Manuel Rivas en una película. Los tres cuentos pertenecen al libro *¿Qué me quieres, amor?*, escritos sin la pretensión de que hicieran parte de una misma historia, fueron, pues, los guionistas los que crearon los lazos necesarios para entretejerlos. Gracias a esto, en la película podemos ver varias historias paralelas: la de Carmiña y su perro Tarzán, la del saxofonista que descubre el amor de una manera inesperada y, sobre todo, la de Moncho, un niño asustadizo que empieza a descubrir el mundo de la mano de su maestro, el señor Gregorio.

La película cuenta, con tono pausado, los meses anteriores al inicio de la Guerra Civil española. Mientras el mundo se abre ante Moncho, el espectador contempla el escenario de un frágil equilibrio que está próximo a destruirse para siempre. Algunos indicios lo presagian, se avecina una tragedia.

El mayor mérito de la película, a mi modo de ver, es mostrar de una manera muy sencilla la profunda herida que va a producir la guerra en el alma de los españoles. No se trata solo de muertos, de destrucción y armas, se trata de enfrentarse los unos a los otros. Ya lo señaló la historiadora Diana Uribe en su programa sobre la Guerra Civil española, lo más duro de una guerra civil es que enfrenta a los amigos, a los vecinos que han crecido juntos, escinde una sociedad, hace pelear a los de la misma sangre. Cuerda seguramente vio esto en los cuentos de Rivas y deseó llevarlo al cine sin muchas explicaciones, sin análisis y, sobre todo, sin buscar redimir a sus personajes que es sin duda para mí, lo más doloroso de todo.

De la mano de Moncho conocemos a los habitantes de su pueblo en Galicia, sus temores y sueños. Percibimos la llegada del primer amor y nos dejamos seducir por el silencio de ese maestro solitario que es don Gregorio, quien está dispuesto a utilizar un método de enseñanza que no tenga que ver con el castigo físico. ¿No es un maestro acaso ese que puede hablar de diferentes cosas, que puede escuchar a sus alumnos, entender sus temores y llevarlos a descubrir el mundo que los rodea? Eso es este hombre mayor que sueña con una generación de españoles que crecerá libre, libre al fin para producir el cambio, libre al fin para no ser detenida jamás. Pero se avecinan tiempos difíciles... Cuerda se aleja del sentimentalismo y nos otorga esta narración sentida, pausada y dolorosa. ¿Qué le deparará el destino a Moncho tras la terrible escena final?, si a corta edad nos descubrimos traicionando lo que más hemos amado, ¿qué futuro estoy llamado a construir? La pregunta queda abierta.

Por Diana Ospina Obando

http://www.ochoymedio.info/review/1185/La-lengua-de-las-mariposas/

Contesta:

1. ¿En qué consistió la labor de los guionistas de la película?
2. En el segundo párrafo, ¿a qué «frágil equilibrio» crees que se refiere el crítico?
3. Se menciona que el director lleva la historia al cine sin explicaciones ni análisis y sin intentar redimir a sus personajes. ¿Qué crees que pretende con esto y qué puede tener de «doloroso»? ¿Conoces alguna otra película que utilice este recurso?
4. Se menciona algo del terrible final. Lee esta breve sinopsis de la película y aventúrate a explicar de qué manera crees que puede estar vinculado el niño con el mismo, de acuerdo con la pregunta que se deja sin contestar al final de la reseña.

   «Don Gregorio, profesor del niño, le ayuda a superar sus dificultades y se gana su cariño y el de sus padres. Además, comparten la misma ideología, contraria a la que impera en ese momento en el pueblo. La tensión crece y el miedo hace que la familia del niño reprima y oculte sus ideas, y todo culmina cuando detienen a Don Gregorio para fusilarlo. La película termina cuando se lo llevan junto a otros prisioneros, con todo el pueblo de testigo».

5. ¿Cuál es la opinión del crítico que ha redactado esta reseña? ¿Le ha gustado la película o no? Justifica tu respuesta.
6. Establece la estructura de esta reseña de acuerdo con el esquema que te da tu profesor.

Ahora, en parejas, elabora tu propia reseña de una película, una obra de teatro, un libro... Si quieres, puedes hacer también una breve sinopsis.

Pista 1

Presentadora: ¿Tenemos al responsable de la organización de los encierros de San Fermín, que nos va a dar unos consejos para los que vengáis por primera vez a Pamplona. Buenas tardes, señor López, ¿qué consejos nos puede dar?

Sr. López: En los encierros anteriores, hubo muchos accidentes graves entre la gente de fuera de Pamplona, y sobre todo, entre aquellos que corrían por primera vez. Correr no es tan fácil como parece.

Presentadora: ¿Qué es importante a la hora de correr?

Sr. López: Lo primero, conocer el recorrido. Es importante saber que hay salidas para que los corredores puedan escapar. Hay tramos más peligrosos que otros, por ejemplo, la entrada a la plaza, porque es más estrecho. Por eso, a veces, se acumula mucha gente que se amontonan y caen, y son pisoteados por los toros que quieren entrar en la plaza.

Presentadora: Entonces, no todo consiste en correr rápido, ¿no?

Sr. López: No consiste en correr mucho, sino en saber correr entre las multitudes. Corramos lo que corramos, el toro siempre corre más. Hay que apartarse para que pase por nuestro lado, saber salir cuando es necesario. Cunado uno se cae, no debe levantarse inmediatamente, como hace tanta gente, porque lo que se consigue es hacer caer a los que vienen detrás.

Presentadora: ¿Y entonces qué se debe hacer?

Sr. López: Ante todo, mantener la calma. Es importante ser consciente de lo que ocurre a tu alrededor, y por eso queda terminantemente prohibido correr borracho o bajo los efectos de cualquier tipo de droga. En todo momento hay que saber si hay gente corriendo detrás de ti y tener controlados a los toros. Hay que tener en cuenta que uno de los problemas de San Fermín es la masificación de corredores... Lo que debes hacer, en caso de caída, es no moverte hasta que pase la multitud y la manada de toros. Si te levantas, entonces se producen los choques y, bueno, la gente se cae unos encima de otros. También es cuando hay peligro de que te pille el toro... Hace unos años murió un extranjero por este motivo.

Presentadora: De todas maneras, no todos los heridos son por toros, ¿no?

Sr. López: No, hay numerosos accidentes por contusiones producidos entre las personas, pero estos no suelen ser graves.

Presentadora: ¿Y si alguien no quiere correr, solo mirar?

Sr. López: Han de acudir mucho antes de que empiece para encontrar sitio, y no se pueden utilizar las vallas más cercanas al recorrido, que están reservadas para los corredores en apuros. Deben usar las segundas, aunque la visibilidad no sea muy buena... Tampoco pueden situarse en el espacio entre las dos vallas porque estas están reservadas para el personal sanitario.

Pista 2

- El clima de la península ibérica es muy variado. Destaca el clima continental, que se da en la meseta. A ver, ¿dónde está la meseta?
- En el centro, ¿no?
- Sí. El clima continental es de temperaturas extremas: hace mucho calor en verano, y frío en invierno, y llueve muy poco. En la mitad sur, en La Mancha, apenas llueve y las temperaturas son extremas. Esto es así porque Sierra Morena y Sierra Nevada impiden que los vientos marítimos entren en el interior. Luego tendríamos una zona de clima atlántico en el litoral cantábrico y Galicia, de lluvias frecuentes y abundantes y temperaturas moderadas. En invierno, la temperatura está suavizada por el mar y los veranos, en cambio, son frescos. Aquí son frecuentes las lluvias.
- ¿Por eso se llama la España verde?
- Sí, en términos turísticos, sí. Luego tenemos la costa oriental y el suroeste de la península. En estas regiones hay un clima mediterráneo cálido, de inviernos muy cortos y suaves y veranos muy cálidos y secos. Aquí es frecuente que a finales de verano caigan chaparrones, que pueden llegar a ser lluvias torrenciales. Y ya que pregunta Carlos por términos turísticos, ¡a ver!, ¿qué nombres recibe la costa mediterránea? ¿Quién lo sabe?
- Pues... la costa Brava y la Dorada en Cataluña, la costa Blanca, que está más abajo, ¿no?...Y la costa del Sol, que es la andaluza.
- Sí, más o menos. Además, las zonas de alta montaña son muy frías, con nieves y hielo perpetuos. En el mapa están marcadas en morado... es el clima de montaña, como en los Pirineos, entre España y Francia.
- ¿Y esta más clara?
- Allí el clima es tan seco que casi es una zona desértica, ya que apenas llueve. Se dice que su clima es mediterráneo semiárido... Es uno de los problemas medioambientales: cada año las sequías son más graves, y esta zona crece. Por último, está el clima de las islas Canarias que tienen un clima subtropical, con temperaturas agradables durante todo el año... podemos decir que allí están en el séptimo cielo.

Pista 3

- ¿Podrías informarme de las becas Erasmus?
- Mira, son programas de acogida en el extranjero, cuya finalidad es la de familiarizarte y aprender la lengua del país de destino mientras sigues con tu carrera, pero en una universidad extranjera.
- ¿Y cuánto tiempo puedo estar y en qué países?
- Entre tres meses y un año, en un país miembro de la Unión Europea. Cada universidad tiene establecidos unos acuerdos con universidades de otras ciudades.
- Entonces, ¿no puedo ir a cualquier ciudad?
- No, depende de los acuerdos que tenga tu universidad.
- ¿Sabes de cuánto es la beca?
- Bueno, las ayudas Erasmus no cubren la totalidad de los gastos que vas a tener, porque solo compensan los gastos por vivir en otro país: viaje, diferencia del coste de vida y, en algún caso, preparación lingüística.
- ¿Son necesarios algunos requisitos para que te la den?
- Sí. Tienes que estar cursando estudios en una universidad y haber aprobado el primer año de carrera. También ser ciudadano de uno de los países de la Unión Europea o de Noruega, Islandia o Liechtenstein.
- Pues muchas gracias por la información.

Pista 4

- ¡Hombre! Precisamente estaba pensando en ti. Quiero irme de Erasmus. A ti te gustó, ¿no?
- Fue increíble. Mira, compartía piso con una chica holandesa y un chico francés, pero por ese piso pasaba un montón de gente de toda Europa: había dos italianos simpatiquísimos que se lamentaban porque ninguna chica los tomaba en serio.
- ¿Y era cierto?
- ¡Que va!, si ligaban un montón, ¡tenían mucho cuento! También venía mucho un islandés un poco loco que iba siempre en chanclas y pantalón corto, ¡incluso en invierno!, era genial el tío, y una francesa que era la novia del francés que vivía conmigo.
- Y eso que dicen que los Erasmus no paran de ir de fiesta y que de estudiar, nada de nada, ¿qué?
- Oye, que yo estudié lo mío, y no es que sea un empollón, ¿eh?
- Ya, pero no me negarás que hay mucha fiesta.
- Bueno, eso forma parte de la experiencia también. Todavía recuerdo la que hicimos para mi despedida. Vinieron 25 personas. Uno trajo a una chica española, que acababa de llegar y, como no conocía a nadie, se puso a hablar con el chico francés que vivía en casa. Cuando lo vio su novia, pues imagínate... perdió los papeles y empezó a gritarle en francés. La chica española se puso a llorar y a decir en español que quería volver a su casa, que eso no le gustaba y que allí la gente era muy rara. Tenías que ver la cara de los demás. Nadie entendía nada, así que volvieron a poner la música y todos a bailar. Al final, tanto una como la otra, se tranquilizaron...
- Pues vaya despedida, ¿no?
- No, si todo fue genial. Hice un montón de fotos. Ya te las enseñaré.

Pista 5

Y ahora damos paso a la agenda musical de este verano. ¿Qué festivales nos esperan?

El primero, Viña Rock, el festival de música *rock* más grande de España, donde, durante tres días, los participantes podrán acampar y disfrutar de la actuación de 85 artistas del *rock* y de la música de mestizaje, pasarse por el mercadillo Arte-Nativo o participar en las actividades paralelas. No os olvidéis, se celebrará la primera semana de mayo en Villarobledo (Albacete).

La segunda semana de julio se celebra el Festival de Ortigueira (La Coruña), para los amantes de los sonidos celtas, con más de 25 actuaciones y todas gratis. Además, podrás disfrutar de una feria de artesanía, del tradicional desfile de bandas de gaitas, de talleres de percusión y de mucho más.

Si buscas un festival de ritmos latinos, el de Villa de Teror es el tuyo. Se celebra anualmente a finales del mes de julio con la participación de artistas de música latina de ámbito internacional. La salsa, el merengue y la bachata son algunos de los ritmos de los que podrás disfrutar. También podrás participar en actividades como clases de baile de salsa, percusión latina, cine latino... una semana dedicada al mundo latino, al aire libre y totalmente gratuita.

A finales del mismo mes, los amantes del jazz tienen una cita en San Sebastián en el Jazzaldia. Además del festival propiamente dicho, se ofrece la Noche Blanca, en la que se programan actividades de todo tipo: teatro, danza, *breakdance*, etc. Algunas de las 100 actuaciones serán gratis, pero otras serán de pago.

Si lo tuyo es el cante y el flamenco, el mes de agosto es tu mes. En La Unión (Murcia), la segunda semana de agosto se celebra uno de los más renombrados festivales internacionales: el del Cante de las Minas. El festival incluye tres concursos: el de «cante», el de toque o concurso de guitarra y el de baile. Además, podéis asistir a galas en las que actuarán más de 25 grandes estrellas consagradas del flamenco. Aforo limitado, así que apresúrate a reservar tu entrada.

Para los amantes de la música clásica, a lo largo de los meses de julio y agosto, vuelve el Festival de Pollença, en Mallorca. Los 11 conciertos se celebran en un escenario incomparable: el claustro del Convento de Santo Domingo. Aunque la mayoría de las actuaciones son de música clásica, también podréis asistir a conciertos de *gospel* o *jazz*. Plazas limitadas.

Pista 6

1.

- Bueno, como presidente de esta comunidad de vecinos, os informo. El Ayuntamiento dice que no puede hacer nada para evitar el botellón en la calle, que no pueden hacer más de lo que hacen. Envían a la policía, pero los jóvenes se enfrentan a ellos. Es que son de armas tomar.
- Creo que, si el ayuntamiento no puede ayudarnos, ha llegado el momento de que pidamos soluciones a alguien por encima de ellos.

2.

- ¡Hombre...! ¿Qué tal tu viaje a Italia?
- No me hables, no me hables... Verás, llegamos al aeropuerto y facturamos normalmente. Pero a la hora de embarcar, que no nos llamaban. Y que pasa una hora, dos horas... y nada de nada. Fuimos al mostrador de la compañía y nos dijeron que no podían informarnos, que no sabían nada... Al cabo de 6 horas, una azafata nos comunicó que, debido a problemas técnicos, el avión no salía, que esperáramos, que ya nos dirían algo.
- ¡Pues vaya faena!
- Al cabo de 4 horas más, nos dijeron que el avión iba a salir. Yo solo iba para un fin de semana, así que ya no me interesaba el viaje... Les dije que yo prefería que me devolvieran el dinero y me contestaron que eso no era posible.
- Increíble...
- Sí, pero les voy a poner una denuncia...

3.

- ¿Has leído la noticia del niño de once años que ha estado sufriendo acoso por parte de sus compañeros de clase?
- Sí, el pobre no contó nada a sus padres y así estuvo, dos años aguantando, hasta que al final sufrió una agresión y lo contó todo.
- ¡Pobre chico! Ahora sus padres han puesto una denuncia y espero que la autoridad competente tome medidas.

4.

- ¿Has visto hoy el periódico?
- No, todavía no me ha dado tiempo a leerlo.
- Pues ya he vuelto a encontrar varias erratas. Y no solo se trata de faltas de ortografía, que tal vez se les ha pasado por lo rápido que funcionan en un periódico, sino también errores gramaticales. Y también un error de vocabulario.
- Pues sí que estamos bien... así habla cada vez peor la gente.
- ¿Sabes que te digo? Pues que voy a escribirles ahora mismo.

5.

- Hoy juega la selección española, ¿no? Seguro que vemos un partidazo.
- Yo no lo veré seguramente, porque no lo van a dar en abierto.
- ¿Qué dices? Pero si este es un partido de interés nacional; todo el mundo quiere saber si España pasa a la final...
- Ya, será por eso. Las televisiones privadas han comprado los derechos y, si quieres verlo, tendrás que pagar o irte a un bar, que allí suelen tener estos canales de pago.
- Pues mira, en cuanto llegue a casa, voy a escribir una carta al responsable para quejarme por esto.

Pista 7

- Ha estado muy bien el paseo en bici, ¿no?
- Sí, pero olvídate de alquilar más bicis. Barcelona es muy guay con tantos carriles para bicis, pero yo tengo unas agujetas que me muero...
- Bueno, vale... Ahora, a Montjuic, ¿no? ¿En metro o en bus?
- En metro, que es más rápido.
- ¿Y por qué no en el funicular que va desde el puerto? ¡Creo que tiene unas vistas espectaculares!
- Como quieras, pero no es un funicular, ¡es un teleférico! Hay un funicular, pero no desde el puerto...
- Vale, vale, ¿lo cogemos, no?
- Por mí genial, pero para llegar al puerto... ¿Metro o bus?
- ¡En autobús, hombre, se ve mucho más la ciudad...!
- Sí, pero es que el metro es mucho más rápido... Así nos da tiempo a ver más cosas...
- Vale, vamos a ver el Estadio Olímpico de Montjuic... y por la noche volvemos al centro y nos damos un paseo por las Ramblas, y...
- ¡Eh! Yo de Gaudí quiero verlo todo: la Sagrada Familia, sus casas, el parque Güell...
- Venga, vamos... Y vamos a preguntar por el bono ese que hay para que salgan los billetes más baratos, ¿no?
- ¿Qué bono?
- Uno que sirve también para el tranvía y para los buses... que está muy bien de precio y nos sirve el mismo para los dos. Por lo visto, sirve también para el tren que te lleva al aeropuerto, para cuando volvamos, ¿no?
- Ah, pues vale. Mejor ir en tren que en taxi, por si hay tráfico y encontramos caravana...

Pista 8

Jose María: ¿Qué? ¿Nos vamos a Toledo, ahora?

Lola: ¿¡A Toledo!? ¿¡Ahora con el calor que hace!? ¿¡En pleno agosto!? ¡Tú estás loco!

Arturo: Oye, ¿y si nos vamos a la playa?

Jose María: ¡Genial! ¡Yo me apunto encantado!

Lola: ¡Ni lo sueñes! ¡Las costas están siempre abarrotadas de gente en estas fechas!

Jorge: ¡Como que tengo yo ganas ahora de ir a la playa!

Pista 9

1.

- ¿Qué ponen hoy en la tele?
- Pues no sé. Espera que lo miro en el periódico.
- Habrá lo de siempre: telebasura. Algún programa del corazón, alguna serie o algún culebrón de estos de 200 capítulos, eso si no hay algún reality.
- Anda, pero si te he visto muchas veces mirándolos con el rabillo del ojo. Pero, mira hay una película en la 1.
- ¿Una película?
- Sí, es una de Indiana Jones.
- Ya, pero seguro que hacen muchas pausas publicitarias, de esas de un cuarto de hora y...
- Pues si quieres, en Tele 5 hay un *reality* y en Antena 3, un concurso que tiene mucha audiencia. ¿Quieres que lo veamos?
- No sé, no me apetece mucho, la verdad. ¿De qué va el *reality*?
- De un grupo de chicos en una isla...
- ¡Ah, ya! En la anterior edición no me perdí ni uno. La verdad es que este tipo de programas enganchan, pero no tengo muchas ganas.
- Lo que sí engancha es la serie de Cuatro. Es de un médico, un poco antipático... En la Sexta hay un programa de humor que no está mal. Lo hacen en directo desde el plató, con público como espectadores.
- ¿Y en La 2?
- A ver... Un documental sobre los festivales de publicidad... puede ser divertido.
- Sí, puede, pero ahora no tengo ganas de ver anuncios. Quizá podríamos grabarlo y verlo otro día.
- Vale, pero ¿qué ponemos ahora?
- Pues no sé... espera, dame el mando, que zapeo un poco y echamos una ojeada, a ver si nos gusta algo.

Pista 10

Iván: Venga, vosotros que sabéis del tema, ponedme al día...

Diego: ¿De artistas españoles? No sé, hay tantísimos.

Mar: ¿No te suena Miquel Barceló?

Diego: Sí, hombre, el pintor de una cúpula del Palacio de Naciones Unidas.

Iván: Oye, ¿y a qué estilo pertenece?

Mar: Olvídate de estilos, en el arte contemporáneo todo tiene cabida. Mira, Barceló tiene cuadros expresionistas, otros más tradicionales, y ahora es más abstracto. En la actualidad se mezclan los géneros.

Iván: Ya, como Antoni Tàpies, que utiliza en sus cuadros muchos materiales: cuerdas, hilos, objetos colgados, ¿no?

Mar: Sí. Pero mira, volviendo a lo de la mezcla de géneros, Joan Brossa escribió poesía, teatro, hizo instalaciones y esculturas.

Diego: A mí me encanta una instalación bastante conocida: una de un maniquí con un canario encima, delante de un micrófono.

Iván: Yo conozco a Chillida y unas esculturas suyas que hay en San Sebastián, al lado del mar, que se llaman *Peine del Viento*.

Diego: ¡Oye! ¡Y Susana Solano!

Mar: Sí, sí, me encanta. Utiliza mucho el hierro en sus creaciones, y a veces el mimbre. Tiene una especie de sillón de mimbre, con forma de hoja, o algo así.

Iván: ¡Jo! La primera mujer que nombráis.

Mar: No, hay muchas. También es muy famosa Cristina Iglesias.

Diego: Sí, la que hizo las puertas de la ampliación del Museo del Prado, en Madrid.

Iván: Sí, unas muy chulas de bronce.

Mar: Y luego está Juan Muñoz, que hace instalaciones con esculturas grises de personas, disponiéndolas de una manera determinada.

Diego: Y es fundamental la fotografía. Ahí tienes por ejemplo a Joan Fontcuberta. Hace de todo, es un verdadero maestro.

Mar: Uff... el trabajo de Joan Fontcuberta es amplísimo. Tiene también unas imágenes compuestas por cientos de fotografías pequeñitas que son muy buenas.

Diego: Y a Chema Madoz seguro que lo conoces. Hace montajes fotográficos mezclando objetos, como una barra de labios en la que la barra es un dedo.

Mar: Y otro fotógrafo buenísimo es Alberto García-Alix, que es este que hace fotos en blanco y negro de personas marginadas, como yonquis y presos...

Diego: Sí, y también está Cristina García Rodero, que hace muchos reportajes fotográficos sobre España. Tiene una foto de dos burros y un niño...

Iván: Bueno, bueno, vale. Muchas gracias.

Pista 11

- ¿Viste ayer ese programa nuevo en el que la gente va a votar al español de la historia?
- ¿¡El español de la historia!? ¡Qué cosa más rara!
- Sí, es un programa que ya han hecho en otros países antes. Hacen una primera selección de unas cuantas personalidades de diferentes campos y, luego, el público vota al que cree que ha sido la figura histórica más importante.
- Buff, ¡qué difícil!, ¿no?
- Pues sí.
- Seguro que sale el más popular, pero no el más importante.
- No sé. Mira, en Inglaterra salió Winston Churchill; en EE. UU., Ronald Reagan y en Francia, Charles de Gaulle.
- Pues a ver quién sale en España. ¿Vas a votar?
- Pues sí, pero déjame ver quién sale en la lista.

Pista 12

- Bueno, ¿a quién votas?
- A Cervantes.
- Oye, ¿sabías que murió el mismo día que Shakespeare?
- Sí, el 23 de abril de 1616, pero exactamente no es el mismo día porque uno es según el calendario juliano y el otro según el calendario gregoriano, que es el que le sustituyó y el que usamos en la actualidad.
- ¡Ostras!, no lo sabía.
- ¿Sabías que tiene un sobrenombre?: El Manco de Lepanto. Es que, cuando estaba luchando, recibió una herida en su mano izquierda, que le quedó paralizada.
- Pues vaya...
- La verdad es que la vida de Cervantes no fue demasiado fácil. Una vez, mientras estaba viajando desde Italia hacia España, su nave fue apresada por unos piratas turcos y él y su hermano fueron vendidos como esclavos en Argel. Sus familiares tardaron cinco años en poder pagar el rescate. Durante ese periodo intentó escaparse varias veces, pero siempre fue descubierto.
- Menuda mala suerte... El que también tuvo mala suerte fue Miguel Servet. Era uno de estos hombres del siglo XVI, del Renacimiento, que se interesaban por muchas cosas: la medicina, la teología, la filosofía... Murió quemado en la hoguera por defender sus ideas. Imagínate, morir quemado porque decía que la Santísima Trinidad no era una sola.
- ¡Oye! ¿Y Severo Ochoa? Ganó el Premio Nobel en 1959, junto a su discípulo Arthur Kornberg, por sus descubrimientos del ARN. Aunque era médico, nunca ejerció la profesión. Él prefería investigar. Primero, escapando de la Guerra Civil española, en Alemania y de allí, debido a los nazis, a Inglaterra, aunque después se fue a EE. UU., cuando estalló la Segunda Guerra Mundial.
- ¿Y Ramón y Cajal también era médico?
- Sí, Ramón y Cajal venía ya de familia de médicos. Cuando se licenció, se fue a Cuba, ya sabes que era colonia española y en ese momento quería independizarse... Pues lo destinaron como médico, pero cayó enfermo de paludismo. Cuando regresó a España se dedicó ya al mundo de la investigación, sobre todo, el sistema nervioso y las neuronas. Fue por sus descubrimientos que recibió el Premio Nobel en 1906. También fue compartido con un científico italiano, Golgi.

Pista 13

- ¡Hola, buenos días! Querría ver al doctor Robles.
- ¿Tiene usted cita?
- No, pero no me encuentro bien y como él es mi médico de cabecera...
- Ya, pero habría tenido que llamar antes para que le viera hoy. Todas las citas están ya dadas.
- Entonces, ¿qué hago? Tengo fiebre, me duele todo el cuerpo y no me encuentro nada bien...
- Espere, voy a ver si hay algún médico en urgencias que pueda atenderle. Mire, la doctora Ballesteros está de guardia y lo atenderá. Baje a la planta baja y cruce el pasillo. Allí está urgencias.
- Muchas gracias.
- El siguiente, por favor...
- Buenos días, tenía cita con el doctor Martos.
- ¿Su nombre, por favor?
- María Navarro.
- Sí, aquí está. El doctor la atenderá enseguida...

Pista 14

- Hola, María, ¿qué te pasa?
- Pues creo que me han pegado algún virus.
- ¿Qué síntomas tienes?
- No tengo nada de apetito y me siento mareada.
- ¿Vómitos?
- Llevo vomitando desde el viernes...
- ¿Tienes fiebre?
- No, bueno... tengo algunas décimas, por la noche.
- ¿Te duele el estómago?
- Hombre, doler, doler no... pero tengo como acidez de estómago.
- Bueno, lo que tienes efectivamente es un virus y te ha provocado una gripe intestinal. Hay una pequeña epidemia.
- Vaya, siempre he tenido una salud de hierro y resulta que últimamente no paro de pillar todo tipo de virus.
- Bueno, no es nada grave, quizá estés baja de defensas. Primero, vamos a curar este virus y, la semana que viene, te haremos un análisis de sangre para ver cómo estás, ¿de acuerdo?
- Vale, ¿qué tengo que hacer?
- Dieta blanda durante una semana. Nada de fritos, ni alcohol ni cafés.
- ¿Y debo tomar alguna medicina?
- No, tan solo tienes que descansar y, si tienes problemas de descomposición o muchos vómitos, bebe líquidos o compra en la farmacia un poco de suero para reponer minerales.
- ¿Y para el análisis?
- Recuerda que tienes que hacerte el análisis en ayunas.
- Muy bien.
- Espera, te voy a dar la baja por dos días, para que descanses y no contagies a nadie.

Pista 15

- Doctor, quería comentarle otra cosa: siempre que hace mucho calor tengo fuertes dolores de cabeza e insomnio.
- Es normal, el clima afecta a muchas personas. Tanto el fuerte frío como el intenso calor hacen que el cuerpo sufra cambios.
- ¿Y eso es normal?
- Sí, no te preocupes, le pasa a una gran parte de la población.
- ¿Y qué puedo hacer?
- Pues nada, cuando empieces a notar algún síntoma, tomate un analgésico y procura estar siempre en ambientes un poco más frescos.

Pista 16

- Hoy, en *Tardes con Mónica*, vamos a hablar del mundo del trabajo. Para empezar vamos a presentarles a nuestra invitada: Carmen Gómez, directora de una empresa de trabajo temporal, que viene a hablarnos de cómo está la situación laboral actual. Hola, Carmen, bienvenida al programa. ¿Es difícil encontrar trabajo en estos momentos?
- Muchas gracias, encantada de estar aquí. Bueno, encontrar trabajo nunca ha sido una tarea fácil. Quizá, lo que ocurre ahora es que hay una demanda mayor de especialización y por lo tanto, es necesario estar muy preparado.
- ¿Qué es lo que ofrecen las ETT a las empresas?
- Les ofrecemos trabajadores preparados que se adaptan a sus necesidades. Hay empresas que necesitan gente para un servicio, otras para un periodo de tiempo en que tienen una acumulación de trabajo, otras a alguien que cubra una baja. Ellos confían en nosotros y en nuestra capacidad de selección, porque saben que les ofreceremos a los candidatos adecuados.
- ¿En qué consiste exactamente una ETT?
- Nosotros contratamos a trabajadores que cedemos a una empresa para trabajos temporales. El empleado viene a nosotros y nosotros le buscamos un trabajo en una empresa.
- ¿Ustedes pagan su salario?
- Sí, la empresa nos paga a nosotros y nosotros al empleado.
- ¿Qué es lo que tiene que hacer alguien que quiera trabajar para ustedes?
- Bueno, pues tiene que pasar por una de nuestras oficinas y dejar su currículum. Una vez estudiado su perfil, le hacemos una entrevista y, a partir de ahí, comenzamos a buscarle un trabajo que se adecue a lo que él está buscando o a la oferta que haya en esos momentos en el mercado.

Pista 17

- Nuestra corresponsal ha estado preguntando en departamentos de Recursos Humanos sobre lo que más se valora en un currículum y en un candidato. Hola, Yolanda, ¿qué nos traes?
- Buenas tardes, Mónica. Primero, nos han dicho que un currículum debe ser breve, de como máximo dos o tres páginas. A ellos les llegan decenas de currículums cada día y no pueden pasarse mucho tiempo leyendo cada uno. Así que lo mejor es ser conciso. Segundo, el formato. Es muy importante cómo está presentado y la imagen que dé. Nada de escribir a mano y mucho menos con tachaduras o manchas. Debe estar impecable. Además, no debe tener ninguna falta ortográfica. Es conveniente revisarlo varias veces antes de mandarlo e incluso pedirle a alguien que lo supervise y nos dé su opinión. Y tercero, es conveniente añadirle una fotografía reciente y de tamaño carné.
- Todo esto es lo referente al estilo, pero del contenido, ¿qué es lo que se valora?
- Bueno, hemos de pensar que el objetivo que buscamos cuando enviamos un currículum es obtener una entrevista. Por tanto, es nuestra carta de presentación en la que debe aparecer la formación y la experiencia laboral.
- ¿Hay una forma de redactarlo?
- No hay solo una forma, sino tres que se consideran los modelos perfectos.
- ¿Cuáles son, Yolanda?
- Pues bien, está el currículum cronológico, en el que presentas la información de lo más antiguo a lo más reciente. Así se consigue resaltar la evolución seguida a lo largo de tu carrera. Otro es el currículum cronológico inverso, que es empezar por los datos más recientes. Resalta tus últimas experiencias, que por otra parte son las que más interesan a tu futuro contratante. Y por último, el currículum funcional, en el que distribuyes la información por temas y da un conocimiento rápido de tu formación y experiencia en un determinado ámbito. Este es útil para destacar puntos positivos y omitir periodos de paro o de muchos cambios de trabajo.

Pista 18

- ¿Y de dónde viene eso del teatro independiente?
- Pues en España empezó todo a finales de los 60, porque había dramaturgos que querían romper los esquemas del teatro comercial del momento y los empresarios no querían representar obras para públicos minoritarios.
- O sea, que se encontraron con dificultades...
- Pues sí. Pero los artistas querían experimentar y descubrir nuevas posibilidades. Por eso establecieron sus propias compañías, que se denominaron de teatro independiente.
- ¿Y por qué se caracterizaban?
- Hombre, como te digo, trataban de romper con los esquemas tradicionales. Por ejemplo, el teatro de cámara trataba de minimizar los efectos espectaculares y acercarse con más intimidad a los problemas esenciales del hombre. También reducían el decorado al mínimo, para no atraer la atención del público hacia él.
- ¿Y Els Joglars?
- Els Joglars empezaron en esa época, como teatro *amateur* que luego se fue profesionalizando. También están Els Comediants, que hacían teatro de la calle, buscando la participación activa del público. Se basan en las tradiciones, en el folklore, y tienen puestas en escena muy llamativas, me encantan. Luego está La Fura: otro grupo consagrado. Son subversivos, provocan al espectador continuamente. ¡Bueno, digo «espectador» por decir algo, porque como se rompen las barreras con el público, el público es parte del montaje y del escenario! Por eso existe un grado muy alto de improvisación. Nunca sabes a ciencia cierta cómo va a reaccionar la gente. No pueden evitar el participar. Prácticamente son obligados.
- Sí, mucha gente que no sabe de qué van las obras se enfadan...
- Claro, pero es que hay que estar un poco informado... Si no, es muy fuerte...
- La Fura también hicieron la presentación de los Juegos Olímpicos de 92, ¿no?
- Sí, fue un acierto por parte de los organizadores del evento, ¿eh?

Pista 19

- ¡Qué guay estuvo la obra!
- ¿Pero de qué trataba?
- No sé, no me preguntes. Era muy original.
- Pero ¿por qué?, ¿qué pasaba?
- Pues mira, llegabas y había una pantalla de cine en donde proyectaban una película. El caso es que cuando llevábamos un rato de peli se puso una señora del público a reñir con el de al lado, que si el otro le estaba metiendo mano, o yo qué sé. Como la peli era un rollo, todos los miramos. Y el acomodador amenazándolos con echarles, por molestar.
- Y eran ellos, ¿no?
- Pues sí. Y a todo esto seguía la peli y a ratos ellos iban e interrumpían. Con que de repente uno de la peli para y mira a la cámara, o sea, hacia nosotros, diciendo: «¡Oigan los de ahí fuera, que estamos trabajando y no nos dejan, hombre! ¡Cállense ya!».
- ¡Qué gracia!, ¿no?
- Sí, el caso es que siguieron así hasta que la mujer de la peli dijo que si no se callaban que salía de la pantalla a poner orden...
- ¡Anda, qué bueno!
- ¡Y SALIÓ!
- ¡No me digas!
- ¡Pues sí, como te digo, SALIÓ!
- ¿Pero cómo?
- Ni me preguntes cómo lo hacían. Debían tener la pantalla cortada en tiras verticales o algo así, pero es que lo hacían tan bien que ni te enterabas. ¡A partir de ahí se montó un número...! Salían y entraban de la pantalla como Pedro por su casa... ¡Con una facilidad!
- Pero se tenía que notar la diferencia, aunque fuera en el tamaño. En la pantalla la gente es mayor...
- Que no, que estaba genial hecho, que se acercaban e iba reduciéndose el tamaño hasta que salían, en tamaño real...
- Jolín, ¡vaya sincronización! Me encantaría verla.
- ¡Yo aún estoy alucinada!

1.ª edición: 2011
7.ª impresión: 2019

Autoras: Vanessa Coto Bautista y Anna Turza Ferré.

Dirección y coordinación editorial: Departamento de Edición de Edelsa.
Diseño de cubierta: Departamento de Imagen de Edelsa.
Diseño y maquetación interior: Dolors Albareda.

ISBN: 978-84-7711-722-3
Depósito legal: M-9619-2011

Impreso en España / *Printed in Spain*

Fuentes, créditos y agradecimientos:
Las autoras
Archivo de Edelsa Grupo Didascalia, S.A.
Archivo fotográfico www.photos.com y www.shutterstock.com